L'AVENTURE DES LETTRES

Les Éditions David remercient la Faculté des arts et le Département des lettres françaises de l'Université d'Ottawa, le Conseil des arts du Canada, le Bureau franco-ontarien du Conseil des arts de l'Ontario et la Municipalité régionale d'Ottawa-Carleton.

Les Éditions David remercient également
Coughlin & Associés Ltée,
le cabinet juridique Emond Harnden,
la firme comptable Vaillancourt · Lavigne · Ashman · Bekolay.

Données de catalogage avant publication (Canada)

L'aventure des lettres : pour Roger Le Moine

Textes présentés lors d'un colloque tenu à l'Université d'Ottawa le 9 avril 1999 en l'honneur de Roger Le Moine.

ISBN 2-922109-22-4

    1. Littérature canadienne-française — Histoire et critique — Congrès. 2. Le Moine, Roger, 1933 — Critique et interprétation — Congrès. I. Gaulin, Michel II. Vaillancourt, Pierre-Louis III. Le Moine, Roger, 1933-

PS8073.A93 1999   C840.9   C99-900984-2
PQ3900.15.A93 1999

Couverture : Pierre Bertrand
Photographie (quatrième de couverture) :
                Jean-Philippe Fauteux
Typographie et montage : Marie-Andrée Donovan

Le Conseil des Arts | The Canada Counci
du Canada | for the Arts

L'AVENTURE DES LETTRES

Pour Roger Le Moine

Textes réunis par

Michel Gaulin
et
Pierre-Louis Vaillancourt

Les Éditions
David

Présentation

MICHEL GAULIN
Université Carleton

À quoi tient principalement une grande carrière universitaire? D'abord et avant tout, sans doute, à une curiosité intellectuelle qui incite à repousser sans cesse les frontières du savoir — le sien propre, au premier chef, puis, à travers l'enseignement, la direction d'étudiants, les publications et la participation aux travaux de la communauté scientifique, celles des acquis communs.

C'est à ce type de carrière que l'on a voulu rendre hommage, au Département des lettres françaises de l'Université d'Ottawa, le 9 avril 1999, par la tenue d'un colloque destiné à marquer le départ à la retraite de l'un des pionniers, au cours des quelque trente-cinq dernières années, du renouveau des études sur la littérature québécoise du XIXe siècle, le professeur Roger Le Moine. Il s'agissait à cette occasion de réunir autour du héros d'une «fête de l'esprit et de l'amitié», pour reprendre l'expression de Marie-Laure Girou Swiderski, dans son mot de bienvenue, un certain nombre de collègues œuvrant dans des domaines connexes aux siens et de les inviter à livrer, dans une atmosphère aussi détendue que possible, le fruit d'une part de leurs recherches et de leur réflexion. On avait veillé, dans le choix des conférenciers, à ce qu'y fussent représentés les deux organismes savants qui s'honorent de la présence de Roger Le Moine en leur sein, la Société royale du Canada et la Société des Dix, de même que rappelées certaines filiations qui ont exercé une influence marquante sur son évolution intellectuelle, celles notamment de son oncle, l'écrivain Félix-Antoine Savard, et de son mentor et ami, le grand ethnologue Luc Lacourcière. Le soir, dans les formes propres à ses traditions de convivialité, le département dans son ensemble rendait hommage à ce collègue estimé.

On trouvera donc ici regroupées les huit communications livrées lors du colloque, textes dont le propos recouvre, dans le temps, une période de quelque deux siècles, de 1760 aux années mil neuf cent cinquante. À cela s'ajoutent l'hommage impromptu rendu à l'intéressé, au cours de la pause déjeuner, par son ancien étudiant, l'écrivain Daniel Poliquin, puis celui de l'«éloge» prononcé en soirée, au nom du département, par Sylvain Simard. Enfin, une version étoffée de l'allocution de Roger Le Moine lui-même, dans laquelle, sous la belle figure d'un «voyage à l'estime», et dans l'esprit du titre retenu pour cet ouvrage, *L'aventure des lettres*, il retrace son parcours intellectuel et professionnel. Une bibliographie exhaustive de ses travaux vient couronner l'ensemble et témoigner de la remarquable fécondité de sa carrière.

Dans le sillage de l'éclatant succès de cette belle journée, un certain nombre de remerciements s'imposent. Les premiers sont dus incontestablement à la directrice intérimaire du Département des lettres françaises pour l'année universitaire 1998-1999, Mme Marie-Laure Girou Swiderski, qui, dès le premier contact, a accueilli avec enthousiasme l'idée de ce colloque, venue à l'origine de l'extérieur de son institution. C'est à elle et à sa détermination que l'on doit la tenue de l'événement. Merci également au Comité d'animation départementale et à son président, M. Patrick Imbert, qui ont avalisé le projet et pourvu à sa mise en œuvre. Par ailleurs, le doyen associé à la recherche de la Faculté des arts, M. Robert Major, a témoigné dès le début d'un intérêt marqué pour cette initiative et a vu, de concert avec le Département des lettres françaises et le directeur du Centre de recherche en civilisation canadienne-française, M. Robert Choquette, à dégager les fonds nécessaires à sa réalisation. Il faut aussi remercier les conférenciers qui ont honoré cette rencontre de leur présence et de leur savoir, de même que les présidents de séance et les étudiants du département qui ont assuré le bon déroulement de la journée. Merci aussi au personnel du secrétariat du département qui a assumé avec empressement l'exécution des tâches additionnelles liées à la mise sur pied de pareille entreprise. Merci, enfin, aux Éditions David et à leur directeur, M. Yvon Malette, qui, devant le succès du colloque, ont spontanément proposé de donner, par une publication, une forme plus permanente à l'hommage que l'on avait ainsi voulu rendre à un collègue et ami qui jouit, dans le milieu des études littéraires, d'une estime si largement partagée.

Il me reste à souligner le rôle essentiel, en cette aventure, de mon complice et ami Pierre-Louis Vaillancourt, délégué par le Comité d'animation départementale pour travailler avec moi à l'organisation du colloque. En plus de me seconder dans le choix des conférenciers et dans nos rapports avec eux, il a assumé avec une bonne humeur et une efficacité remarquables la responsabilité de toutes les questions d'intendance, me déchargeant d'autant. Dans la préparation du présent ouvrage, enfin, où j'ai assumé la majeure partie de la mise en œuvre et du suivi des décisions éditoriales que nous avions arrêtées ensemble, sa sagesse, sa vigilance et son sens de la précision m'ont été d'un secours constant. Qu'il en soit vivement et très chaleureusement remercié.

ACTES DU COLLOQUE

Mot d'ouverture

MARIE-LAURE GIROU SWIDERSKI
Directrice intérimaire
Département des lettres françaises

Bienvenue à tous et tout particulièrement à ceux qui viennent de loin. C'est à la fois un plaisir et un honneur de vous accueillir toutes et tous pour cette journée exceptionnelle, qui se veut la fête de l'esprit et de l'amitié.

Je voudrais pour commencer remercier et féliciter, en votre nom à tous, Michel Gaulin à qui revient tout l'honneur de cette heureuse initiative et Pierre-Louis Vaillancourt qui l'a si diligemment secondé dans sa réussite. (Je vous avoue que depuis que Michel m'a fait cette proposition, je n'ai cessé de me demander comment il se faisait que personne n'y ait pensé plus tôt, à l'occasion d'autres départs.)

Cette rencontre est une chance pour notre département. Et d'abord pour nous, professeurs. Quitte à ce que vous me jugiez d'une ironie saumâtre, à ce moment qui vous surprend pris entre la fatigue de la fin du trimestre et l'avalanche des travaux à corriger, l'événement nous rappelle que nous sommes des privilégiés confrontés au constant défi de la recherche et à la joie du partage des connaissances; privilégiés puisque nous avons la chance de faire ce que nous aimons et de lui voir porter fruit.

L'initiative est heureuse aussi pour les étudiants qui y trouveront un début de réponse à une question qui les poursuit sans doute: mais que font donc vraiment ceux et celles qui leur enseignent durant ces longs congés qui choquent tant l'opinion publique?

On ne peut que se féliciter du bonheur de cette formule tellement bien adaptée au chercheur et au communicateur qu'est Roger Le Moine. Je ne rappellerai que pour mémoire, car nous l'avons tous bien connue, la porte toujours ouverte de son bureau et la difficulté de passer devant sans entrer. Une halte en ce lieu fournissait souvent son lot des derniers ragots départementaux, mais plus souvent encore, une information nouvelle, une anecdote, une idée, un lien inattendu avec nos propres intérêts. Si pour parodier Crébillon se moquant de Marivaux, on osait prétendre que la culture, après tout, c'est «faire se rencontrer des idées qui ne se sont encore jamais vues», Roger, à n'en pas douter, ne cesse de prouver qu'il est un homme cultivé.

De son contact avec la Renaissance, il a gardé, outre son rire rabelaisien, l'«ivresse du gai savoir», cet appétit boulimique qui le pousse avidement vers de nouveaux sujets d'autant plus tentants à ses yeux qu'ils sont interdits (comme la franc-maçonnerie, à laquelle il s'est «attaqué», il n'y a pas si longtemps). Et Montaigne est présent aussi; «frotter et limer sa cervelle contre celle d'autrui», apprendre et (se) remettre en question, c'est bien ce que Roger n'a cessé de faire. S'il fut tout dévoué au XIXe siècle québécois, il ne dédaigna pas de faire des incursions discrètes au XVIIIe. En vrai fils des Lumières, il a résolu bien simplement la question qui ne cessa de hanter les penseurs de cette époque: «Que doit faire celui qui détient en sa main la connaissance?» Le frileux Fontenelle répondait: «la garder soigneusement fermée». Voltaire, moins généreux parfois qu'il n'y paraît, proposait de n'ouvrir les doigts qu'un à un. Roger, aux côtés des Encyclopédistes, a voulu l'ouvrir toute grande et verser le savoir comme la manne sur tous ceux qui en sont affamés.

Vous tous présents témoignez de la fécondité et de la diversité de la récolte:

♦ fournir des textes fiables, la tâche première qui fait de lui un des initiateurs des vraies études critiques de la littérature québécoise. C'est ce que poursuit aujourd'hui à grande échelle l'impressionnante entreprise de la «Bibliothèque du Nouveau Monde», dirigée par trois professeurs du département et alimentée des recherches de tant d'autres;

♦ reconstituer et faire revivre une époque pour y resituer les œuvres qui prennent alors toute leur réelle importance; de là l'intérêt des monographies mais plus encore peut-être des biographies soigneusement documentées;

♦ rendre hommage enfin à ses racines, à la terre des aïeux (la Malbaie).

Ce que cette journée va surtout illustrer, c'est l'importance de transmettre le savoir, de le considérer comme un immense trésor qui croît d'être partagé.

Pour qui connaît ces convictions profondes de Roger, il devient évident que son intervention en fin de journée ne saurait être un «mot de la fin». Je vous conseille de vous attendre plutôt à un «Envoi». «Envoi» comme dans un match, ce qui marque au contraire le commencement ou, sur un autre registre, comme le «*Ite*» final de la messe.

Fort de la rencontre et de l'échange, chacun repart alors continuer la découverte et la récolte pour en grossir le trésor commun. Ce n'était là qu'une étape, la fête continue.

Elle va en effet continuer puisque la soirée nous réunira pour rendre hommage à l'homme comme la journée aura illustré le chercheur.

Nous voici, pour une journée, heureux insulaires d'une de ces Isles fortunées que les poètes du XVIe siècle voulaient voir dans l'Amérique, une nouvelle Arcadie où goûter un moment le bonheur d'apprendre et la joie d'échanger.

Je nous souhaite une belle et bonne escale!

Québec, ville acculturante (1760-1860)

Claude Galarneau
de la Société royale du Canada
Université Laval

Il n'y a que deux états de base sur notre sol sublunaire: l'état de nature et l'état de culture. Le second n'étant arrivé que depuis quelques millénaires, lorsque l'homme a eu l'intelligence assez développée pour transformer la nature et lui-même. Depuis dix mille ans, l'*homo sapiens sapiens* a généré deux types de culture: d'abord la culture traditionnelle ou populaire, matérielle et spirituelle, façonnée par les pratiques de la vie agricole; ensuite la culture savante il y a 5 000 ans, avec l'invention de l'écriture et ce qui viendrait avec elle. Voilà la notion fondamentale du mot culture. Tout le reste n'est que sens résiduel, parfaitement légitime au demeurant.

Si la culture traditionnelle a été la création des sociétés agraires, de la campagne, la culture savante a été le fruit de la ville. Cela paraît difficile à accepter aujourd'hui alors que les inventions de la communication ont mis les campagnes à la même heure que la ville. Mais les deux cultures ont cohabité chez nous jusqu'à la Seconde Guerre mondiale.

À la campagne, le travail de la terre occupe les membres de la famille, hommes, femmes et enfants.

Ceux qui ne restent pas sur la terre apprennent un métier auprès d'un artisan, métiers du bois, du fer, du cuir, des tissus, avec quelques marchands, un curé, un notaire et, quelquefois au second XIXe siècle, un médecin.

La période qui m'intéresse, le siècle d'or de la ville de Québec (1760-1860), me permet de montrer à quel point une ville, cette ville centrale et capitale n'a que peu en commun avec la campagne, non pas par opposition, mais par système.

Or la culture rurale a ses propres systèmes, que je n'ai pas le temps d'expliquer ici. Alors que la ville génère une systémie, c'est-à-dire un système de systèmes, comme Ferdinand de Saussure le disait et comme l'a bien montré Joël de Rosnay plus près de nous[1].

Et la culture de la ville de Québec, qu'est-ce-à-dire? D'entrée de jeu, il faut rappeler les phénomènes de structure, à savoir la démographie, les institutions politiques, économiques et religieuses. La population de la bonne ville de Québec passe de 9 000 habitants en 1760 à 60 000 un siècle après. Les Canadiens en comptent alors 60%, les autres groupes étant venus de Grande-Bretagne, avec un fort groupe d'Irlandais. Québec demeure la seule porte d'entrée de l'Amérique britannique du Nord et le siège de l'administration, avec les institutions politiques qui s'y installent aussitôt créées, le Parlement, les cours de justice et autres bureaux. Au tournant du siècle, grâce au blocus napoléonien, Québec devient le deuxième plus grand port d'Amérique du Nord

---

1. Joël de Rosnay, *Le macrocosme: vers une vision globale*, Paris, Seuil, 1975, 295 p.

atlantique, immédiatement après New York. Le bois devenu l'or du Canada transite à Québec, dont la plus grande partie va en Angleterre et l'autre partie sert à la construction des bateaux sur les berges du Saint-Laurent et de la Saint-Charles. Le commerce hauturier s'arrête toujours à Québec, venant de Liverpool, de Londres ou de Glasgow. Québec est ainsi une ville de négociants, d'armateurs, de financiers, de boutiquiers et d'artisans[2].

L'évêché est toujours là, de même que le Grand et le Petit Séminaire, les Ursulines, les Augustines hospitalières, les Dames de la Congrégation. À ces vieilles communautés s'ajoutent après 1840 les Sœurs Grises, les Sœurs du Bon-Pasteur, les Frères des écoles chrétiennes, les Jésuites et les Oblats, ces trois dernières venues de France. Des paroisses sont fondées dans les nouveaux quartiers de la ville haute et basse, la population se trouvant en majorité dans la vallée de la Saint-Charles.

Enfin, les professions libérales se développent rapidement avec les médecins, les avocats, les notaires, les architectes et les arpenteurs et mesureurs de bois. Pendant le siècle, la campagne vit quant à elle au rythme des saisons, des travaux et des jours, des fêtes liturgiques. Comme le disait Luc Lacourcière, c'est le plus haut période de la culture traditionnelle au Québec. Mais en ville, à Québec, comment s'est développée une culture urbaine?

La vie religieuse obéit au même calendrier que la campagne, donnant les mêmes services aux uns et

---

2. John Hare, Marc Lafrance, David-Thiery Ruddel, *Histoire de la ville de Québec, 1608-1871*, Musées nationaux du Canada, Montréal, Boréal Express, 1987, 399 p.

aux autres. Mais là s'arrête la ressemblance. Les rues et places ne sont pas le lieu des concours de labour et de l'épluchette de blé d'Inde. C'est, en Occident, celui des écoles, du livre, des associations de diverses natures, des arts plastiques, du théâtre et de la musique, de l'architecture et des spectacles nombreux qu'une ville peut seule offrir à ses populations.

Voyons voir d'abord du côté de l'éducation. Les citoyens britanniques veulent faire instruire leurs enfants dès leur arrivée à Québec, comme les Canadiens. Les deux groupes sont conviés à un premier projet de système scolaire dès 1787, mais l'évêque catholique le refuse. La loi de 1801, dite de l'Institution royale, est également boudée par l'évêque et son clergé. La première loi importante, votée en 1829, est acceptée par la population mais ne dure que sept ans. Celles de 1841-1846 seront de justesse acceptées par le clergé catholique parce que les groupements religieux seront libres d'y adhérer suivant leur culte. Ce sont d'ailleurs les *Dissenters* qui avaient demandé et obtenu cette liberté[3].

Et avant la décennie 1840, la ville aurait-elle été comme la campagne, sans écoles? Que non. Du côté canadien, les institutions du Régime français rouvrent leurs portes en 1763. Mais cela donnera moins de 10 écoles d'institutions avant 1840 pour une population qui se multiplie. Pour le reste, des particuliers, Britanniques et Canadiens, font comme en Angleterre: ils ouvrent des écoles chez eux, dans leur maison, et cela réussit à les faire vivre, puisque ce sont des écoles payantes. Elles sont 6 entre 1760 et

---

3. Louis-Philippe Audet, *Histoire de l'enseignement au Québec*, t. I, *1608-1840*, Montréal, Holt, Rinehart et Winston, 1971, XV-432 p.

1769, 105 entre 1840 et 1849 et 85 entre 1850 et 1859. Elles comprennent quatre types d'écoles: petites écoles, études classiques, arts d'agrément et cours préparatoires au marché du travail pour le commerce et les professions[4].

Il reste encore et toujours les métiers et professions qui s'apprennent par apprentissage auprès d'un maître[5]. Et enfin, une ville qui est envahie par les gens des campagnes surpeuplées et les Irlandais après 1815, engendre bientôt un grand nombre d'enfants pauvres et illettrés. Comme en Angleterre, les notables religieux et laïques créent des Sociétés d'éducation qui, aidées par l'aumône des citoyens et des subventions de l'État, vont alphabétiser des centaines d'enfants avant la mise en place du système scolaire. S'il y a beaucoup d'analphabètes encore en 1840, la ville compte néanmoins des gens instruits dans le commerce, l'industrie et les professions libérales[6].

Le mouvement associatif, lui aussi venu d'Angleterre, regroupe les citoyens dans toutes sortes de sociétés, cercles, loges ou associations pour exercer une activité caritative, religieuse, sportive, éducative, intellectuelle ou d'ordre ethnique (sociétés dites

---

4. Claude Galarneau, «Les écoles privées à Québec (1760-1859)», *Les Cahiers des Dix*, n° 45, 1990, p. 95-113.

5. Jean-François Caron, *Les apprentis à Québec de 1830 à 1849*, M.A., Université Laval, 1985, XIII-107 p.

6. Michel Verrette, «L'alphabétisation de la population de la ville de Québec de 1750 à 1849», *RHAF,* 39, 1 (été 1985), p. 51-76.

nationales), chez les Britanniques et chez les Canadiens[7].

Ce qui permet à ces grandes catégories socioculturelles de fonctionner, c'est, on l'aura deviné, l'imprimé. Le livre et le manuel scolaire, publiés en très grande partie en France et en Angleterre et importés dès le début du Régime anglais sont vendus par 140 libraires et autres vendeurs de livres avant 1840[8]. L'imprimerie a été installée pour la première fois en 1764 à Québec. Et les premiers imprimeurs, venus de Philadelphie, seront aussi et jusqu'à la fin du XIXe siècle des éditeurs, des relieurs et des graveurs. Leur plus grande production fut l'édition des journaux et magazines. En effet, plus de 80 périodiques paraîtront à Québec de 1764 à 1859[9]. Enfin, les associations et les institutions ont établi une bonne quinzaine de bibliothèques collectives. Mais contrairement à ce qui se faisait en Angleterre, en Nouvelle-Angleterre et au Haut-Canada, il n'y eut pas de bibliothèques publiques à Québec, sauf celle du Parlement ouverte en 1802, le clergé s'y opposant[10].

---

7. Ginette Bernatchez, *La Société littéraire et historique de Québec (The Literary and Historical Society of Quebec) 1824-1890*, M.A., Université Laval, 1979, IX-160 p.; Daniel Gauvin, *L'Institut canadien et la vie culturelle à Québec: 1848-1914*, M.A., Université Laval, 1984, XX-182 p.

8. Réjean Lemoine, *Le marché du livre à Québec 1764-1839*, M.A., Université Laval, 1981, XV-237 p.

9. Claude Galarneau, «La presse périodique au Québec de 1764 à 1859», *Mémoires de la Société royale du Canada*, 1984, p. 143-166.

10. Marcel Lajeunesse, «Les bibliothèques paroissiales, précurseurs des bibliothèques publiques au Québec?», dans *Les bibliothèques québécoises d'hier à aujourd'hui. Actes du colloque de l'ASTED et de l'AQEI*, Trois-Rivières, 27 octobre 1997, Les Éditions ASTED, 1998, p. 43-66.

Les arts plastiques — peinture, sculpture, orfè-vrerie — comptent des artistes venus d'Europe et également des Canadiens en grand nombre. Les architectes construisent la vieille ville avec talent, celle que nous connaissons aujourd'hui. La musique est très bien servie par d'excellents musiciens, sou-vent venus d'Allemagne dans l'armée britannique ou de France, comme les Dessane, et qui deviennent d'excellents professeurs dont profitent les Cana-diens[11].

Un aspect moins connu, celui du spectacle, n'est pas moins important dans une ville aussi bien peu-plée. La topographie, les institutions et les lieux de la ville en témoignent. Le Saint-Laurent et la Saint-Charles offrent en été des régates, des excursions, des courses, des navires de haute-mer à visiter. En hiver, les glaces permettent aux officiers et aux riches mar-chands de se promener sur le fleuve dans leurs plus beaux atours pour le plaisir des citadins, qui peuvent se rendre au pied de la chute Montmorency, comme aujourd'hui encore, et aux amateurs de curling de pratiquer leur sport ou à d'autres de se laisser emporter par le vent sur des chaloupes gréées d'une voile et montées sur des patins, comme les peintres nous en ont gardé le témoignage.

Les églises et les chapelles catholiques réunis-sent les fidèles le dimanche et les jours de fête. Les intérieurs sont décorés de tableaux, de statues, de retables et de voûtes sculptés alors que l'orgue et le chant choral permettent d'entendre de la musique polyphonique.

---

11. Helmut Kallmann, Gilles Potvin, Kenneth Winters, *Ency-clopédie de la musique au Canada*, Montréal, Fides, 1983.

Le gouverneur doit montrer aux populations la puissance de la royauté anglaise et offre ainsi des fêtes chaque année avec parades de l'armée, manœuvres des soldats et des officiers, bals au Château, illuminations dans les rues.

Quant aux spectables en espaces clos, ils sont nombreux et variés. Les courses de chevaux organisées par le Jockey Club n'ont que deux meetings par année, mais les habitants ne se privent pas de faire courir leurs chevaux sur le Chemin du roi de Québec jusqu'à la chute Montmorency ou dans la rue Saint-Jean vers Sainte-Foy. Des cirques arrivent des États-Unis dès 1798 alors que des animaux exotiques tels que des éléphants, des singes, un jaguar, un bison sauvage, des serpents, des crocodiles et d'autres animaux viendront tour à tour récréer les Québécois. Sans oublier la visite d'amuseurs divers, tels que des nains, des acrobates, des boxeurs, des magiciens et des ventriloques. Cela pour tous les publics.

Pour les classes plus instruites et mieux nanties, la ville présente du théâtre et des concerts. Il y a certes peu de théâtre français puisque le clergé s'y oppose toujours. Mais les officiers de l'armée anglaise font beaucoup de théâtre dès la fin des années 1780 et pendant tout le siècle. Entre 1783 et 1815, le public est invité à 163 programmes offrant 274 pièces de théâtre. En 1845-1846, au théâtre Saint-Louis, 50 programmes sont offerts avant l'incendie du 12 juin 1846, qui fit 40 morts. En 1852 et 1853, on compte même des «festivals d'été» assurés par des troupes de Québec, de Montréal, des États-Unis et d'Europe. Enfin, entre 1853 et 1858, 60 soirées sont présentées au Nouveau Music Hall (Académie de musique de la rue Saint-Louis). Sans parler des panoramas et dioramas venus d'Angleterre et des États-Unis à partir de 1818 (voir le cyclorama de Sainte-Anne-de-Beaupré et le diorama du Musée du Fort, place d'Armes à Québec).

Enfin, la musique est somptueusement présente. Dans les églises, mais aussi dans les rues et les salles de concert. Les régiments ont leur harmonie, qui rythme les parades et, à la belle saison, donnent des concerts sur la place d'Armes. Les officiers ont leurs propres ensembles et présentent des concerts de musique de chambre, de la musique vocale avec chœur et solistes.

En 1820, le chef Frédéric Glackmeyer fonde le premier orchestre, la Société harmonique de Québec, qui comprend des musiciens amateurs et professionnels. Dans les années 1830, deux fanfares apparaissent, celle du Petit Séminaire de Québec, dirigée par Adam Schott et celle de Michel-Charles Sauvageau. Des oratorios sont interprétés par des artistes italiens et allemands de passage. La décennie 1840 en compte une centaine dont quelques concerts de musique sacrée, lesquels seront donnés à partir de 1850 dans les églises de Saint-Roch, de Saint-Sauveur, de Saint-Andrew et à la Saint-Mathew's Chapel. Même l'opéra fait son apparition avec de grands artistes européens de passage. Enfin les «concerts promenades» arrivent en 1857[12].

Voilà en quelques mots l'approche analytique des principaux paramètres de ce que j'ai appelé la culture de la ville de Québec. Mais c'est aussi un système de systèmes, puisque chaque paramètre est en

---

12. Claude Galarneau, «Le spectacle à Québec (1760-1860)», *Les Cahiers des Dix*, n° 49, 1994, p. 75-109.

rapport, en interaction et en interdépendance avec les autres. Ne retenons que l'exemple de l'imprimé. Il met en jeu les relations du Québec avec les colonies anglaises et avec l'Angleterre pour les métiers de l'imprimerie, avec les États-Unis, l'Angleterre et la France pour l'importation du livre, la librairie et l'édition. Il en est ainsi pour l'alphabétisation et l'éducation à ses différents niveaux, pour le rôle des associations volontaires et les bibliothèques privées et collectives et les spectacles. On peut en dire autant des groupes sociaux, métiers et professions, des institutions politiques, militaires et religieuses, du monde des affaires et du négoce. De nombreuses études de cas — grâce notamment aux inventaires après décès — montrent la présence des livres et des périodiques dans les populations. Interactions et interrelations, systémie de la vie socioculturelle urbaine, chez les gens instruits comme chez les illettrés. Bref, la ville de Québec est acculturante au cours de ce siècle.

On ne saurait être surpris que la vie littéraire et artistique y fut intense et d'ailleurs bien sentie chez les intellectuels du premier XIXe siècle. Daniel Wilkie, pasteur presbytérien et professeur réputé à Québec, refusa ainsi d'aller s'installer à Toronto comme on l'invita à le faire.

Les aventuriers des Lettres au Québec et en Nouvelle-Angleterre à la fin du XVIIIe siècle

BERNARD ANDRÈS
Université du Québec à Montréal-IREP

Aventure: du latin *advenire*, se produire, pour un événement plus ou moins inattendu, extraordinaire, mêlant le danger au plaisir de la découverte, nous dit le *Robert* historique. Quoi de mieux pour désigner l'entreprise aventurée des Lettres au Québec à la fin du XVIIIe siècle? Cette quête aventureuse des lettres d'avant la lettre, je la mène depuis une dizaine d'années avec la complicité de Roger Le Moine. Il m'a toujours encouragé dans cette voie, alors que d'autres n'y voyaient peut-être qu'une hasardeuse équipée vers d'improbables anti-chambres littéraires. Je dédie donc à Roger cette équipée vers les aventuriers de la plume et de la gazette au nord d'une Amérique alors en quête d'elle-même.

Si je m'attache autant à ces lointaines productions, c'est que je suis persuadé que le Québec de l'après-Conquête était une «collectivité nouvelle» (au sens où en parle Gérard Bouchard[1]). Cette société

---

1. Gérard Bouchard, «Populations neuves, cultures fondatrices et conscience nationale en Amérique latine et au Québec», dans Gérard Bouchard et Yvan Lamonde (dir.), *La Nation dans tous ses états. Le Québec en comparaison*, Montréal et Paris, L'Harmattan, 1997, p. 15-54.

en pleine mutation découvrait tout à la fois la modernité du temps (les Lumières), les révolutions (américaine et française) et la révolution de l'imprimé, des
gazettes et de l'espace public. «Un Québec qui bougeait», avait déjà dit (et étudié) Jean-Pierre Wallot[2].
Un Québec qui «opinait» et n'était pas du tout coupé
de la France, comme l'ont bien montré Claude
Galarneau et les travaux publiés à l'occasion du
bicentenaire de la Révolution française[3]. Un Québec,
enfin, qui changeait de régime et, passant à l'Anglais,
forçait les Canadiens à se forger une nouvelle identité. Français, ils ne l'étaient plus depuis belle lurette.
Ils n'étaient pas plus britanniques, malgré les tenta-
tives de ces derniers pour les «acculturer». Les Américains les avaient un temps courtisés durant leur
guerre d'Indépendance. Mais, ni français, ni britanniques, ni américains, les Canadiens du temps
étaient un peu tout cela: une étrange alchimie iden-
titaire dont, récemment, Yvan Lamonde a détaillé les
composantes[4].

C'est dans ce climat ô combien volatil de la fin du
XVIIIᵉ siècle que les Canadiens font l'apprentissage de
l'art oratoire et des lettres. Les premières gazettes, les

---

2. Jean-Pierre Wallot, *Un Québec qui bougeait. Trame socio-
politique du Québec au tournant du XIXᵉsiècle*, Montréal, Boréal-
Express, 1973.

3. Claude Galarneau, *La France devant l'opinion canadienne (1760-1815)*, Québec, Les Presses de l'Université Laval, et
Paris, Armand Colin, 1970. Sur les travaux concernant les échos
de la Révolution française au Québec, voir notre recension «De
nouvelles lumières sur les Lumières au Québec», *Voix & images*,
nᵒ 46, automne 1990, p. 138-145.

4. Yvan Lamonde, *Ni avec eux, ni sans eux. Le Québec et les
États-Unis*, Québec, Nuit blanche, 1996.

premiers poèmes, pamphlets et discours politiques, les premières loges maçonniques sont les lieux où s'illustre cette génération que j'ai appelée ailleurs la «génération de la Conquête[5]». Toute une aventure pour les Saint-Luc de Lacorne[6], les Bailly de Messein, les Sanguinet, les Mézière et les Panet, mais aussi pour une brochette de Français émigrés dans la colonie. L'historiographie les a longtemps taxés de sombres aventuriers, de conspirateurs, de «fourbes[7]», ou, comme les stigmatisait Camille Roy: «[...] ces hommes à réputation louche, [...] ces demi-lettrés et [...] ces épaves de la morale que le flot de la mer avait déjà jetés sur nos rivages[8]».

Ainsi se constitue le *topos* d'une extranéité menaçante et dépourvue de scrupules, *topos* que Sylvain Simard retrouve *mutatis mutandis* dans ce qu'il appelle «les a priori clérico-nationalistes de la

---

5. Voir Bernard Andrès, «La génération de la Conquête: un questionnement de l'archive», *Voix & images*, nº 59, hiver 1995, p. 274-293. On trouvera une version abrégée de ce texte, ainsi qu'une présentation de nos travaux sur le site Internet «Archéologie du littéraire au Québec», à l'adresse <http://www.er.uqam.ca/nobel/r26770/alaq.html>. Je signale que nous préparons avec Marc-André Bernier, Robert Derome, Yvan Lamonde et André Delisle, directeur du Musée du Château Ramezay, une exposition à ce musée: «Images d'un changement de siècle: portrait des lettres et de l'éloquence au Québec (1759-1839)». La manifestation se déroulera de janvier à juin 2000, doublée d'un colloque et de représentations d'opéras de Joseph Quesnel.

6. Voir Pierre Lespérance, *Saint-Luc de La Corne et le naufrage de l'Auguste: la constitution d'un héros*», mémoire de maîtrise en études littéraires (directeur: Bernard Andrès), UQAM, 1994.

7. Voir notamment Gérard Malchelosse, «Mémoires romancés», *Les Cahiers des Dix*, nº 25, 1960, p. 103-146.

8. Camille Roy, *Nos origines littéraires*, Québec, Imprimerie de l'Action sociale, 1909, p. 68.

tradition historiographique canadienne[9]». Quoi qu'il en soit, c'est de ces épaves que j'aimerais vous parler, car je les considère comme la première génération d'écrivains et d'intellectuels canadiens (qu'ils soient de souche ou d'adoption). Voici donc, brossés à grands traits, le tableau d'une époque et le portrait de quelques aventuriers des «Lettres d'avant la Lettre[10]».

C'est en travaillant à la biographie intellectuelle d'un certain Pierre de Sales Laterrière que j'ai découvert cette galerie de portraits. Tous ces personnages partagent en bonne partie les traits fondamentaux des «aventuriers des Lumières» dont Alexandre Stroev a récemment étudié le profil et les (basses) œuvres[11]. D'origine humble ou noble appauvri, homme de lettres plus que banal escroc, l'aventurier vit souvent d'expédients et voyage beaucoup (dans l'espace géographique et social). Il ne manque ni d'éducation ni, parfois, de génie, brille en société, adore le jeu, l'entregent et la mise en scène. Il espionne à l'occasion, ne s'embarrasse nullement de scrupules, fait de la prison, change d'identité, vit sa vie comme un roman, chute et se relève parfois difficilement de ses traverses. Mais en Amérique du Nord, nos personnages s'écartent au moins sur un

---

9. Sylvain Simard, *Mythe et reflet de la France*, Ottawa, Les Presses de l'Université d'Ottawa, 1987, p. 25.

10. Voir Bernard Andrès, «Les Lettres d'avant la Lettre. Double naissance et fondation», *Littérature*, n° 113, mars 1999, p. 22-35.

11. Alexandre Stroev, *Les aventuriers des Lumières*, Paris, Presses universitaires de France (coll. «Écriture»), 1997. Voir aussi l'article «Aventurier» de Suzanne Roth, dans Michel Delon (dir.), *Dictionnaire européen des Lumières*, Paris, Presses universitaires de France, 1997.

point du portrait-type de l'aventurier européen à la Casanova, Cagliostro, Chevalier d'Éon, comte de Saint-Germain, Stepan Zannovitch et autres «chevaliers de fortune» analysés par Stroev. Mis à part certains clercs à la Roubaud ou à la Berthiaume, on le verra, nos chevaliers de fortune sont souvent animés par un généreux projet touchant à l'édition, à l'éducation, ou à la politique et l'on trouve peu d'exemples du cynisme de leurs cousins européens. Il en résulte des individus moins tranchés et retors, moins dotés de panache ou de faconde, mais des personnages d'autant plus fascinants que, pour la majorité d'entre eux, ils ont aussi fait l'expérience de cette Europe en mutation si propice aux revers de fortune.

C'est le cas de Pierre de Sales Laterrière, «médecin et libre penseur[12]», dont le destin croise celui de nos autres «aventuriers» nord-américains. Un charlatan, diront les uns, un fieffé Gascon pour les autres, un imposteur aux yeux de la plupart qui le soupçonnent de s'être forgé une généalogie, de s'être refait une identité au Québec. Pourtant, ma longue fréquentation des archives (de et sur) Laterrière m'a permis de confirmer la plupart des assertions couchées dans ses mémoires. Seul subsiste encore, il est vrai, un certain doute sur l'origine et la formation européenne de l'individu qui, débarqué au Québec en 1766, y a su laisser sa marque et fonder une dynastie d'hommes de profession et d'hommes publics. J'ai expliqué ailleurs comment son destin recoupe celui de bien des personnages de son temps, à une époque fertile en rebondissements politiques

---

12. Jacques G. Ruelland, *Pierre de Sales Laterrière. 1747-1815. Médecin et libre penseur*, Longueuil, Société historique du Marigot, n° 24, 1990.

et en événements historico-culturels des plus cruciaux pour le monde occidental. Pensée des Lumières, déclin de la monarchie de droit divin, contestation de l'ordre établi, rééquilibre des empires européens, révolutions atlantiques et guerre d'Indépendance américaine, autant de jalons qui marquent la fin d'un siècle, dans un climat rêvé pour l'aventure sous toutes ses formes[13]. De ce point de vue, loin de se démarquer de ses contemporains, Laterrière est sans doute celui qui illustre le mieux la conjonction entre une époque et un destin. C'est parce qu'au dernier tiers du XVIIIe siècle, le Québec autorisait ce type de parcours, en appelait presque l'avènement, que de tels individus pouvaient s'y «faire un nom». Parti de peu (Laterrière émarge tout au plus de nobliaux albigeois), l'immigrant de vingt ans devient rapidement commis, inspecteur, puis directeur des forges du Saint-Maurice et prisonnier politique. Soupçonné de complicité avec les Bostonnais, il partage sa geôle avec les journalistes Valentin Jautard et Fleury Mesplet, fondateurs de la *Gazette de Montréal*. Plus tard, quand Laterrière étudiera la médecine à Cambridge, il se liera d'amitié avec un autre aventurier, Joseph Guérard de Nancrède, fondateur du *Courier* [sic] *de Boston* (j'y reviendrai). Cette gazette francophone du Massachusetts sera distribuée au Québec par Fleury Mesplet, fondateur de la *Gazette de Montréal*. Tout un réseau éditorial francophone se met ainsi en place au nord du continent, avec, notamment, la *Gazette françoise* de

---

13. Voir Bernard Andrès, «Originaux et détraqués de la fin du XVIIIe siècle québécois», dans *Littérateurs atypiques et penseurs irréguliers*. Numéro préparé par Pierre Popovic, *Tangence*, n° 57, mai 1998, p. 53-71.

Newport (1780-1781), le *Courrier de l'Amérique*, à Philadelphie (27 juillet au 22 octobre 1784), *Le Courrier de La Nouvelle Orléans* (1785 à 1786), le *Courier de Boston*, animé par de Nancrède (1788), puis, toujours à Boston, en 1792, *Le Courrier Politique de l'Univers*, dont le rédacteur est l'abbé Louis de Rousselet et auquel succédera *Le Courrier des Deux-Mondes*.

Mais revenons à Laterrière. Nanti du premier diplôme émis par la jeune École de médecine de Harvard (1789), Laterrière rentre au Québec et poursuit son ascension sociale: chirurgien apothicaire, accoucheur, marchand, conférencier, correspondant d'une société savante anglaise, juge de paix et, enfin, seigneur des Éboulements[14]. C'est là qu'il rédige son autobiographie avant de mourir en 1815. Puis, c'est l'oubli jusqu'à la publication posthume de ses mémoires en 1873. Puis, à nouveau, l'oubli jusqu'à nos jours[15]. Pour un mémorialiste, quel destin! Il fut en effet le premier auteur de mémoires au Québec et le témoin privilégié d'une époque aujourd'hui sans nom. On se déchire encore pour parler de «Conquête» ou de «Cession» (voir le récent

---

14. Sur Pierre de Sales Laterrière (né en 1743 et non en 1747), voir Bernard Andrès, «La réception de l'"étrange" au Québec. Pierre de Sales Laterrière (1743-1815)», dans Annette Hayward et Agnès Whitfield (dir.), *Critique et littérature québécoise*, Montréal, Triptyque, 1992, p. 199-216 et René Beaudoin, «Pierre de Sales Laterrière, médecin, mémorialiste et prototype de l'aventurier des lettres», dans Bernard Andrès (dir.), *Principes du littéraire au Québec (1766-1815)*, Cahiers de l'ALAQ, Université du Québec à Montréal, n° 2, août 1993, p. 43-56.

15. Voir la réédition en fac-similé des *Mémoires de Pierre de Sales Laterrière et de ses traverses* [édition intime, Québec, Imprimerie de l'Événement, 1873], Montréal, Léméac (coll. «Trésors du Patrimoine québécois»), 1980.

film de Jacques Godbout, *Le sort de l'Amérique*, ONF, 1996). Je me plais à nommer cela, pour exorciser les deux termes, «La Conquête des Lettres au Québec[16]».

À l'époque, il est vrai, on ne relève pas encore de grands auteurs, ni de mouvements littéraires, peu d'écoles si ce n'est le collège des Sulpiciens à Montréal et le Séminaire de Québec. Quand il sera question d'une université, en 1789, le petit monde clérical s'y opposera farouchement (exception faite de Mgr Bailly de Messein, comme on le verra). C'était aussi l'ère des premières gazettes: celle de Québec (bilingue), à partir de 1764, et celle de Montréal, en 1778-1779. Celle-ci plus contestaire que celle-là, plus littéraire également, avec ses deux animateurs qui rejoindront Laterrière en prison: Fleury Mesplet, l'imprimeur et Valentin Jautard, le journaliste. Ces fous littéraires avaient fantasmé une académie voltairienne qui sentait le soufre[17]. Aux prises avec l'évêque, avec les censeurs sulpiciens, avec le jésuite Bernard Well et avec le juge de Rouville, les gazetiers ne pouvaient, au bout d'un an, que déclarer forfait. Du moins avaient-ils, des mois durant, entretenu la flamme philosophique auprès d'une poignée de

---

16. Voir Bernard Andrès et Pascal Riendeau (dir.), *La Conquête des Lettres au Québec (1764-1815): Florilège*, Montréal, UQAM, Département d'études littéraires, Cahiers de l'ALAQ, n° 1, mars 1993.

17. Il est question de cette académie dans la *Gazette littéraire de Montréal* (Lettre de L.S.P.R.S.T. à l'imprimeur, 21 octobre 1778); voir Jean-Paul De Lagrave, *Fleury Mesplet (1734-1794): diffuseur des lumières au Québec*, Montréal, Patenaude éditeur, 1985, p. 128. Se référer à ce monumental travail pour toute étude sur Mesplet et son temps (le livre a été réédité sous le titre *L'époque de Voltaire au Canada: biographie politique de Fleury Mesplet: 1734-1794*, Montréal, L'Étincelle, 1993).

collégiens, sans oublier la vingtaine de «citoyens montréalistes» qui pétitionnèrent en faveur des journalistes. C'est dans ce contexte un peu délirant que s'illustrent alors les plus étranges individus: des aventuriers, au sens le plus noble du terme, celui du soldat volontaire parti en *éclaireur* sur les terres américaines. Comment s'étonner que la plupart d'entre eux figurent encore au ban de la société? Longtemps, dans l'historiographie cléricale comme dans la littéraire, on a vilipendé ces marginaux qui, aujourd'hui, font nos délices. Car, ces aventuriers de la plume et de la pensée, on les retrouve aussi bien dans le milieu clérical. À tout Monseigneur, tout honneur: deux mots, donc, pour commencer, sur les tonsurés de nos Lumières.

Face aux bons serviteurs de l'Église (les Briand, Hubert et Plessis), œuvrent et manœuvrent des clercs tout aussi doués, mais en rupture de ban, eux. Ce sont les prêtres sympathiques aux rebelles américains en 1775-1776, ou simplement réfractaires au régime anglais. Voilà Pierre Huet de la Valinière, cas pathétique de l'individu incapable de composer avec le pouvoir, quel qu'il soit. Le «Bostonnais», ou «le Juif errant du Canada» est accusé d'intelligences avec les Américains[18]. Sa vie durant, il devra s'en défendre auprès de son ordre comme du pouvoir britannique. Cela nous vaudra les plus touchantes pages d'auto-justification rimée du corpus de l'après-Conquête. Lettres, mémoires, poèmes autobiographiques jalonnent l'impossible carrière de ce sulpicien d'origine nantaise. Un temps défendu par ses paroissiens

---

18. Voir Vincent Lemieux, «Pierre-Huet de La Valinière», *Dictionnaire biographique du Canada*, t. V, Sainte-Foy, Les Presses de l'Université Laval, p. 476.

canadiens, il s'attirera les foudres de ses ouailles américaines quand, exerçant son ministère à New York, ces dernières mettront le feu à son église et à son presbytère! Celui qui, en 1781, avait soumis en France un projet d'insurrection du Québec finit misérablement dans sa province d'adoption, en mendiant le long des routes. Rappelons, parmi les écrits de cette flamboyante figure christique, la *Vraie Histoire, ou Simple Précis des infortunes, pour ne pas dire, des persécutions qu'a souffert & souffre encore le révérend Pierre Huet de La Valinière* [...] (Albany, 1792), et surtout le *Dialogue curieux et intéressant entre Mr. Bon Désir et le Dr. Breviloq en français et en anglais, ou l'on peut aisément trouver les armes pour défendre la religion contre toutes les faussetés inventées contre elle* (New York, 1790).

Que dire encore de ces récalcitrants qui, à la faveur du changement d'allégeance, ont osé critiquer leur hiérarchie? Le plus troublant d'entre eux est un Canadien de naissance: Charles-François Bailly de Messein[19]. Sa famille lui permet d'aller étudier à Paris au collège Louis-Le-Grand, vers la fin du régime français. Sous le régime anglais, le voilà missionnaire en Acadie, puis professeur de rhétorique au Petit Séminaire de Québec et, plus tard, directeur de l'institution. Remarqué par le gouverneur Carleton, il est nommé précepteur de ses enfants. La tradition, dit Claude Galarneau, le montre «vêtu d'une soutane de soie», allant et venant «du séminaire au château Saint-Louis dans le carrosse» de Son Excellence. Il séjourne à Londres avec Carleton

---

19. Voir Claude Galarneau, «François Bailly de Messein», *Dictionnaire biographique du Canada*, t. IV, Sainte-Foy, Les Presses de l'Université Laval, p. 45-48.

et sa famille (1778-1782) et, au retour de Lord Dorchester, en 1786, Bailly de Messein est projeté à l'avant-scène religieuse et politique. Pistonné par le gouverneur, il devient coadjuteur de Mgr Hubert. Il prend son rôle tellement au sérieux qu'il se prononce (contre son évêque) pour la fondation d'une université non confessionnelle. Quand on sait que cette institution devait être financée par l'héritage de Simon Sanguinet, franc-maçon notoire dont la famille contesta le testament, on imagine que l'ambitieux projet mourut dans l'œuf.

En leur temps, d'autres clercs plus ou moins défroqués défrayèrent aussi la chronique. Animés par de moins nobles desseins que ceux de Bailly de Messein, ces obscurs serviteurs de Dieu figurent en arrière-plan dans notre galerie de portraits. J'ai évoqué ailleurs le Frère Berthiaume, récollet, apostat et coureur des bois (ou de jupons indiens), le père Veyssière, autre récollet apostat qui se maria et devint ministre du culte protestant, puis franc-maçon[20]. Ou encore Pierre Roubaud, jésuite défroqué, comédien et polygraphe que Gustave Lanctot plaçait assez haut (ou bas) dans l'échelle des «faussaires et faussetés de l'histoire du Canada[21]».

---

20. Voir Bernard Andrès, «Originaux et détraqués [...]», *op. cit.*, p. 65. Sur cet épisode de la vie de Leger Jean-Baptiste Noël Veyssière, voir Honoré-Auguste Gosselin, *L'Église du Canada après la Conquête: Première partie: 1760-1775*, Québec, Laflamme, 1916, p. 251 et A.J.B. Milborne, *Freemasonry in the Province of Quebec: 1759-1959*, Knowlton (Québec), [s.é.], 1960, p. 31.

21. Gustave Lanctot, «Le prince des faussaires en histoire canadienne», *Mémoires de la Société royale du Canada*, Section 1, 1946, p. 69 (étude reprise dans *Faussaires et faussetés en histoire canadienne*, Montréal, Éd. Variétés, 1948). Voir aussi B. Andrès,

L'auteur des fausses *Lettres du Marquis de Mont-calm* aurait aussi trempé dans le pamphlet de Pierre du Calvet, l'*Appel à la justice de l'État*, ou *The Case of Peter du Calvet* (1784)[22].

*

Voilà qui m'amène aux aventuriers laïques de l'époque: les immigrés français comme Pierre du Calvet[23], les gazetiers Jautard et Mesplet dont il a déjà été question, ou le poète Joseph Quesnel et quelques autres. L'Américain d'origine française Jean/John de Crèvecœur est un cas bien à part qui mériterait à lui seul un volume, tout comme Joseph Guérard de Nancrède qui, lui, s'est illustré à Boston. De ce dernier, mentionnons quelques traits marquants d'une carrière aventureuse qui nous permettra de croiser aussi celle de Crèvecœur.

Quand il débarque en Nouvelle-Angleterre, à dix-neuf ans, dans le régiment de Rochambeau, de

---

«Du faux épistolaire: Pierre-Joseph-Antoine Roubaud et les *Lettres de Monsieur le Marquis de Montcalm [...] écrites dans les années 1757, 1758, 1759*», dans Georges Bérubé et Marie-France Silver (dir.), *La lettre au XVIII*e siècle *et ses avatars*, Toronto, Éditions du GREF (coll. «Dont actes»), n° 14, 1996, p. 231-248 et Caroline Masse, *Le faux et la contrefaçon: Pierre Roubaud, polygraphe et faussaire au siècle des Lumières (1723-c.1789)*, mémoire de maîtrise en études littéraires, UQAM, 1996.

22. Voir Auguste Vachon, «Pierre-Joseph-Antoine Roubaud», *Dictionnaire biographique du Canada*, t. IV, Sainte-Foy, Les Presses de l'Université Laval, p. 743-745.

23. Voir Bernard Andrès, «La passion du combat dans les lettres de Pierre du Calvet (1779-1784)», dans Manon Brunet (dir.), *Érudition et passion dans les écritures intimes*, Québec, Nota Bene (coll. «Littérature(s)»), p. 17-27.

Nancrède ne s'appelle même pas de Nancrède[24]. C'est un certain Paul Joseph Guérard, simple soldat orphelin de père et de mère, qui vit alors une seconde naissance. Il se bat auprès des Insurgents américains en 1781, rentre en France en 1783 et, deux ans plus tard, réapparaît en Amérique sous le nom de «Paul Joseph Guérard de Nancrède». Devenu professeur de français au Collège Harvard de Cambridge, il se lancera aussi dans l'édition en français et en anglais. Pierre de Sales Laterrière l'a connu en 1788-1789 à Boston et il en parle dans ses mémoires. C'est l'époque où de Nancrède lance le *Courier de Boston*, alors que Laterrière étudie la médecine. Sous-titrée «L'Utilité des deux Mondes», la gazette française cite Pascal, mais aussi l'abbé Raynal, Mably, le comte de Mirabeau et «les recherches minutieuses de M. de Crèvecœur». Il s'agit là de cet autre Français installé aux États-Unis, que les Américains finiront par considérer comme un des pères de leur littérature: John St-John de Crèvecœur (1735-1815).

Deux mots sur ce dernier. L'ancien soldat des troupes de Montcalm s'appelait alors Michel-Guillaume Jean de Crèvecœur[25]. Après la

---

24. Outre les *Mémoires* de Pierre de Sales Laterrière (*op. cit.*, chap. VIII), je tire l'essentiel des renseignements sur de Nancrède des travaux de Madeleine B. Stern, «A Salem Author and a Boston Publisher: James Tytler and Joseph Nancrede», dans *The New England Quarterly. A Historical Review of New England Life and Letters*, vol. 47, n° 2, juin 1974, p. 299-301. Voir aussi, du même auteur, *Books and Book People in 19th Century America*, R. R. Bowker Company, New York et Londres, 1978, p. 47-117 et Véronique Fauvelle, «Joseph Guérard de Nancrède, un aventurier?», Dossier «Joseph Guérard de Nancrède», Archives de l'ALAQ, avril 1999, 7 pages.

25. J. Hector St-John de Crèvecœur [Crèvecœur, Michel Guillaume], *Letters from an American Farmer* [...], New York,

capitulation de Montréal, il opta pour les colonies américaines et s'y forgea une nouvelle identité sous le nom de J. Hector St. John de Crèvecœur. Naturalisé américain en 1765, Crèvecœur devient alors cultivateur, épouse une Américaine et appelle leur fille: America-Frances. Il perd presque l'usage du français quand, dix-sept ans plus tard, paraît en anglais *Letters from an American [...] by J. Hector St. John, a farmer in Pennsylvania* (Londres, 1782). Son œuvre sera bientôt adaptée en français (1784) et fera les délices des salons parisiens et européens qui y découvrent une Amérique idyllique et bucolique, alors que l'auteur est nommé consul français à New York. Si la Révolution française l'écartera de ce poste et de sa seconde patrie, Crèvecœur aura du moins été des tout premiers à définir «*What is an American?*». C'est sans doute la raison de sa présence dans le numéro liminaire du *Courier de Boston*.

Revenons donc à de Nancrède et à sa gazette. Durant tout l'été 1789, il couvrira les progrès de la «régénération» française, jusqu'à ce qu'on apprenne enfin, le 15 octobre, que c'était une révolution. Ce 15 octobre 1789 est aussi la date du dernier *Courier*

E. P. Dutton (A Dutton Paperback: 8), 1957 [réimpression de l'édition de Londres 1782] et *Lettres d'un cultivateur américain écrites à W.S. Écuyer: depuis l'année 1770, jusqu'à 1781*, Paris, Cuchet, 1784; voir aussi *Voyage dans la haute Pensylvanie et dans l'état de New York: depuis l'année 1785 jusqu'en 1798. Par un membre adoptif de la nation oneida. Traduit et publié par l'auteur des lettres d'un cultivateur américain*, Paris, Maradan, 1801. Signalons les différences notables entre les deux éditions des *Lettres/Letters* de Crèvecœur. Pierre Monette, chercheur associé au projet ALAQ, à l'UQAM, prépare une édition des *Lettres/Letters* de Crèvecœur comprenant en vis-à-vis la traduction (inédite, par Pierre Monette) des *Letters* de 1782.

de Boston. Outre les conséquences de la prise de la Bastille, on y annonce la révolte avortée des noirs en Martinique et la fin de la gazette, faute de nouveaux souscripteurs. Mais l'expérience éditoriale de Joseph de Nancrède ne s'arrêtera pas là. Citons rapidement, en 1791, l'édition anglaise du discours de Brissot de Warville, sur la question de savoir si le Roi peut être jugé. Puis, en 1792, la publication du premier recueil de littérature francophone aux États-Unis (1792): l'*Abeille françoise, ou Nouveau recueil de morceaux brillans des auteurs François les plus célèbres. Ouvrage utile à ceux qui étudient la langue françoise, et amusant pour ceux qui la connoissent. : A l'usage de l'Université de Cambridge*[26]. En 1795, de Nancrède publie en anglais un *Plan de constitution pour la république française*[27]. En avril de la même année, il s'associe avec Médéric-Louis-Elie Moreau de Saint-Mery, libraire-éditeur de Philadelphie pour la diffusion de ses livres. Toujours en 1795, il ouvre avec Thomas Hall, de Boston, une librairie franco-anglaise[28]. Il publie alors régulièrement son catalogue d'ouvrages littéraires importés d'Europe. Mais son plus beau coup éditorial est en 1796 l'édition du chef-d'œuvre de Bernardin de Saint-Pierre, *Paul et Virginie* (en anglais, en français, mais aussi dans une édition bilingue). L'année suivante (1797), de Nancrède peut se lancer dans l'édition américaine des *Études de la nature* du même Bernardin de Saint-Pierre (en trois volumes illustrés!). La même

---

26. Boston, Belknap & Young, 1792.

27. Boston, Hall and de Nancrède, 1795.

28. 25 juillet 1795: Publication, dans le *Columbian Centinel*, de l'annonce de de Nancrède, sur l'ouverture, avec Thomas Hall, de leur librairie, *a French and English Book-Store*.

année, c'est le *Télémaque* de Fénelon. Parvenu au faîte de la gloire éditoriale, l'émigré obtient la naturalisation américaine en 1799. Cinq ans plus tard, de Nancrède commence en France une nouvelle carrière (de 1804 à 1812). Puis, retour aux États-Unis jusqu'en 1825, date à laquelle le vieil homme se retire définitivement en France. En 1838, il se découvre une ultime vocation (qui nous ramène au Canada): il s'entremet pour la cause de Louis-Joseph Papineau. L'homme politique canadien se cherche alors un refuge et de Nancrède veut aider le «rebelle». Il l'assure, dans une lettre de juin 1838, que le triomphe de sa cause ne saurait être indéfiniment retardé[29]. Le Canadien restera en contact étroit avec de Nancrède jusqu'à la mort de ce dernier, en décembre 1841. Papineau devient alors son exécuteur testamentaire. Ajoutons, pour en finir avec de Nancrède, que cet aventurier de l'édition accompagna de ses imprimés la marche d'une collectivité nouvelle en Amérique et que, s'il s'était exilé à Québec plutôt qu'à Paris en 1806, on l'eût probablement vu s'activer avec les Bédard et les Blanchet autour d'un journal comme le *Canadien*.

*

C'est par ce détour via les États-Unis, la France et Papineau que je retrouve nos aventuriers canadiens (de naissance ou d'adoption). Certains d'entre eux s'illustrent à l'étranger, comme Jacques Grasset de Saint-Sauveur ou Henry-Antoine Mézière. Si celui-ci, comme on le verra, tâte de la Révolution, l'autre s'essaie dans le libertinage avec des titres comme *Les amours du fameux comte de Bonneval, pacha à*

_____

29. Madeleine B. Stern, *op. cit.* (1978), p. 106.

deux queues ou *Les amours d'Alexandre et de Sultane Amazille*[30]. Canadiens ou français, ces personnages partagent l'expérience de la migration et d'un certain cosmopolitisme. C'est le cas de Joseph Quesnel qui, lui, connaît déjà les Indes, Madagascar, les Antilles et le Brésil quand il débarque ici en 1779. Si ce Malouin d'origine est un bon royaliste, il détonne passablement dans le domaine culturel. Ce riche marchand de fourrures se pique en effet de poésie et de musique. Il tient salon à... Boucherville. Co-fondateur du «Théâtre de société» avec des amis francs-maçons[31], il tient l'orgue à l'Église de Montréal, jusqu'à ce que les bonnes âmes s'en offusquent:

[...] On traita de folâtre

ma musique, dit-on, faite pour le Théâtre:

L'un se plaint qu'à l'Église il a presque dancé

L'autre dit que l'auteur devrait être chassé;

Chacun tire sur moi et me pousse des bottes,

Le sexe s'en mêla et surtout les dévotes[32].

---

30. Sur Jacques Grasset de Saint-Sauveur, voir Pierre-Georges Roy, *Les petites choses de notre histoire*, Lévis, [s. é.], 1922, p. 265-268. De Jacques Grasset de Saint-Sauveur, voir notamment *Les amours du fameux comte de Bonneval, pacha à deux queues, connu sous le nom d'Osman, d'après quelques mémoires particulières*, Paris, 1796, un volume in-18 et *Les amours d'Alexandre et de Sultane Amazille*, Paris, 1797, 2 volumes in-18.

31. Voir Bernard Andrès, «Archéologie de la comédie et du théâtre lyrique au Québec: Joseph Quesnel (1746-1809)», *Artexto, Revista do Departamento de Letras e Artes*, Fondação Universidade do Rio Grande (FURG, Brésil), n° 8, 1997, p. 11-26. Voir aussi Pierre Turcotte, *Reconstitution archéologique du livret de* Lucas et Cécile *de Joseph Quesnel (1746-1809)*, mémoire de maîtrise en études littéraires (directeur: Bernard Andrès), UQAM, 1999.

32. Jeanne d'Arc Lortie, Pierre Savard et Paul Wyczynski (dir.), *Les textes poétiques du Canada français, 1606-1806*, t. I, Montréal, Fides, 1989, p. 445.

Puis, dans la polémique sur les méfaits du théâtre, Quesnel se prononce, le 7 janvier, dans la *Gazette de Montréal*, pour défendre son art. Ce mois-là, il fait aussi jouer le premier opéra comique canadien, *Colas et Colinette ou Le bailli dupé*, œuvre de son cru[33].

À la même époque, un jeune étudiant de Montréal, Henry-Antoine Mézière, se découvre un destin politique. Plus téméraire que Quesnel, il se fait, lui, l'ardent zélote de la Révolution française et canadienne. Auteur probable du pamphlet *La Bastille septentrionale* publié chez Fleury Mesplet en 1791[34], il raconte ainsi son séjour chez les Sulpiciens: «un collège confié à d'ignares ecclésiastiques fut le tombeau de mes jeunes ans, j'y puisai quelques mots latins et un parfait mépris pour mes professeurs[35]». Exilé aux États-Unis en 1793, il se met aux ordres d'Edmond-Charles Genêt, ministre du gouvernement révolutionnaire auprès du Congrès. Dans un mémoire sur les dispositions politiques des Canadiens, Mézière prétend que ses compatriotes sont prêts à se soulever contre «le despotisme et la

---

33. Joseph Quesnel, *Colas et Colinette, ou Le bailli dupé* (Comédie en trois actes et en prose, mêlée d'ariettes), Québec, Réédition-Québec, 1968, 78 p. (fac-similé de l'édition originale de 1808 chez John Neilson à Québec).

34. Voir Isabelle Beaulé, *Henry-Antoine Mézière: d'épistolier à pamphlétaire?*, mémoire de maîtrise en études littéraires (directeur: Bernard Andrès), UQAM, 1996. Je tire de ce travail les extraits de correspondances qui suivent.

35. Henry-Antoine Mézière, «Mémoire sur la situation du Canada et des États-Unis, Nivôse, An 2 de la République française [...], au citoyen Dalbarde, ministre de la Marine» [1795], *Le Bulletin des recherches historiques*, vol. 37, n° 4, Lévis, avril 1931, p. 195.

tyrannie» britanniques. Tôt ou tard, écrit-il à ses parents,

> la liberté régnera dans le monde entier; bientôt ce servile univers, mû par ce contact électrique, sortira de son sommeil de mort et se réveillera république. Alors le fils ne fuira plus le père pour se soustraire à la tyrannie. Ce sera l'âge d'or, le siècle d'Astrée et de Rhée. Ainsi soit-il[36].

Mais le «peuple canadien» résiste à son magnétisme et, comme on le sait, la France ne reconquiert point le Québec. Aussi Mézière s'exile-t-il à Paris, tombant par malheur au plus sanglant de la Terreur. Prison, fuite en province, refuge à Bordeaux... où on le retrouve vingt ans plus tard fonctionnaire municipal. L'aventurier assagi reviendra en 1818 pour lancer à Montréal l'*Abeille canadienne* (1818-1819), puis il retournera faire son miel d'un héritage en Aquitaine. J'ajoute qu'une récente recherche aux Archives de Bordeaux m'a fait découvrir le rôle exact qu'y jouait en 1814 l'ancien révolutionnaire canadien. Alors que le fils Laterrière, de passage en Aquitaine, relate en 1815 sa rencontre avec «l'assistant préfet» de Bordeaux qui lui délivre un passeport[37], il s'avère que ce «Monsieur Mézière» n'était autre, en fait, que... le chef de la police locale (!)[38]. Le plus savoureux de l'affaire, c'est que

---

36. Henry-Antoine Mézière, «Lettre de Henry Mézière à ses parents de Cumberland Head, le 28 août 1793», Fonds Verreau, 17, n° 32, Archives du Séminaire de Québec.

37. Voir Bernard Andrès et Pierre Lespérance (dir.), *Fortune et infortunes d'un dandy canadien. Pierre-Jean de Sales Laterrière: Journal de voyage* (1815), Cahiers de l'ALAQ, n° 3, hiver 1994, p. 48-49.

38. Voir Archives départementales de la Gironde, 2M33: Dossiers individuels, Arrondissement de Bordeaux, 1811-1936; *Calendrier administratif, juridique et de commerce du Département de*

l'ex-détracteur des Sulpiciens de Montréal s'occupait aussi à Bordeaux de la police des cultes. Mieux encore (ou pis): l'auteur présumé de la *Bastille septentrionale* était passé de la dénonciation virulente du système carcéral canadien à, vingt ans plus tard, la gestion des prisons sous l'Empire et la chasse aux forçats évadés. Autres temps... Quelques années auparavant, un autre journaliste s'était également assagi: Valentin Jautard. Celui qui bravait les autorités à l'époque héroïque de la première *Gazette de Montréal*, en 1778-1779 s'est retrouvé brisé par trois années de prison. Il finira tristement sa vie comme écrivain public chez l'imprimeur Fleury Mesplet.

*

Concluons sur une note un peu nostalgique. D'un certain point de vue, le destin pathétique de ces aventuriers est à l'image de celui des lettres québécoises de l'après-Conquête. Une phase ascendante et flamboyante culmine avec les Révolutions américaine et française. Mais elle est bientôt suivie d'une descente aux enfers. L'indépendance d'esprit de la génération de la Conquête résiste difficilement à la reprise en main du Bas-Canada par le clergé, à la faveur des guerres contre Napoléon et de la propagande anglaise qui englue alors la colonie. C'est ainsi que la lutte passe du champ littéraire au champ parlementaire avec la montée du Parti canadien. L'aventure des Lettres aura du moins ouvert la voie à celle des Patriotes.

---

la Gironde pour 1814, Bordeaux, n° 13, p. 59. Je remercie M. Christian Dubos, archiviste, qui m'a guidé dans ma recherche sur Mézière en juin 1999.

Bouclons la boucle, donc, et revenons pour finir à notre Valentin qui refusait farouchement encore, en 1778, de trouver sa Valentine. Le 30 septembre de cette année-là, Jautard signait, sous le pseudonyme «Le Spectateur tranquille», un poème frisant la goujaterie. L'homme ne prisait point le mariage, ainsi qu'il l'affirmait en vers (et contre tous) à Mme *J.D.H.R.*:

> J'aime mieux, dussiez-vous me traiter de volage,
> Vivre sans vous que sans ma liberté.
> [...]
> Je n'ignore pas que... l'hymen est une cage
> Où trop souvent l'on gémit d'être pris;
> Très content de mon sort, ami de mes amis,
> Libre de toute inquiétude,
> Trouvant mes plaisirs à l'étude,
> De la vraie béatitude
> Je sens et connais tout le prix.
> [...]
> Et pourquoi cesser d'être sage!
> Je suis résous de préférer,
> Quand vous devriez ne plus m'aimer,
> Une libre infortune au plus riche esclavage.

À quoi l'infortunée lectrice répondait la semaine suivante :

> Au spectateur tranquille
> [...] Enfin je te connois perfide, ingrat volage,
> Contente-toi, garde ta liberté:
> Oui, ta réponse ne m'outrage
> Qu'autant qu'elle est le fruit de ta sincérité.
> Apprens qu'au premier jour... dans cette aimable cage
> Tu désireras d'être pris
> [...]
> J.D.H.R.

L'avenir, pourtant, devait donner raison à cette Mme *J.D.H.R.*: elle avait vu juste à propos du vieux garçon. Sitôt sorti de prison, le célibataire endurci avait trouvé sa cage: piégé par une veuve dont on ne saura jamais si c'était la Mme *J.D.H.R.* qui sollicitait sa main dans la gazette. Toujours est-il qu'à quarante-cinq ans, quelque peu marri (si j'ose dire), Valentin conjugue les soixante-douze printemps d'une veuve alerte qui avait déjà épuisé/épousé deux maris, Louis-Jean Poulin de Courval, puis Jean-Baptiste de Gannes de Falaise. Cette redoutable Marie-Thérèse Bouat de Gannes eut aussi raison de Jautard, puisqu'elle lui survécut près de vingt ans encore, s'éteignant, de guerre lasse, à l'âge canonique de quatre-vingt-onze ans.

Le siècle avait un an et pour nom dix-neuvième. Le prochain épisode des lettres québécoises n'interviendrait qu'à la fin des années trente, avec Philippe-Aubert de Gaspé fils, Napoléon Aubin et les Rouges de l'Institut canadien: en route vers de nouvelles aventures.

Les anciens Canadiens :
requiem et réquisitoire pour une classe en voie d'extinction[*]

MICHEL GAULIN
Université Carleton

« [...] tout a son aurore et son couchant [...][1] »

C'est au soir d'une longue vie marquée de traverses et de vicissitudes, qu'au détour des années
1860 Philippe Aubert de Gaspé devient écrivain. Ainsi
se trouvait-il à mettre à profit, comme suffiraient à le
démontrer les nombreuses citations mises en
exergue aux divers chapitres des *Anciens Canadiens*,
la vaste culture littéraire qu'il avait acquise pendant
ses années d'anxieuse retraite en son manoir de
Saint-Jean-Port-Joli, entre 1823 et 1838, puis, par la

---

[*] Je tiens à remercier Roger Le Moine qui, à la suite du colloque, a eu l'amabilité de relire attentivement mon texte et de me
communiquer plusieurs observations qui m'ont permis d'affiner
et de préciser mon propos, dont j'assume par ailleurs l'entière responsabilité.

1. Philippe Aubert de Gaspé, *Les anciens Canadiens*, Montréal, Fides (coll. «Bibliothèque canadienne-française»), 1970,
page de garde [4], extrait d'une citation du *Ramayana*, qu'Aubert
de Gaspé place comme en exergue à son roman. Assez curieuse-
ment, quelques éditions des *Anciens Canadiens* omettent cette
citation, pourtant importante pour le sens que l'auteur a voulu
prêter à son œuvre. Toutes nos citations du roman sont tirées de
l'édition susdite. Les références de page seront dorénavant données entre parenthèses directement dans le texte.

suite, au hasard des rencontres du Club des Anciens, dans l'arrière-boutique du magasin de Charles Hamel, rue Saint-Jean, à Québec.

«J'écris pour m'amuser», nous prévient Aubert de Gaspé aux premières lignes de son roman (p. 16). Précaution d'usage de la part de romanciers débutants[2], non encore aguerris, mais dont notre expérience de la littérature d'imagination nous a habitués à nous méfier. Pareille affirmation, en effet, a souvent pour objet non seulement de quémander l'indulgence du lecteur, mais également de masquer — consciemment ou non — les véritables enjeux de l'œuvre en question. À cette enseigne, les *Anciens Canadiens* n'échappent pas à la règle. Une lecture superficielle du roman peut nous inciter à n'y voir qu'une évocation nostalgique du passé, ainsi que du mode de vie des Canadiens à la fin du régime français et dans les premières années qui suivent immédiatement la Conquête. Et cela d'autant plus facilement que l'auteur consacre la majeure partie de son œuvre à l'évocation de cet âge d'or, évocation qu'il nous invite en quelque sorte à partager avec lui quand il affirme, dans la foulée de son «J'écris pour m'amuser»: «Consigner quelques épisodes du bon vieux temps, quelques souvenirs d'une jeunesse, hélas! bien éloignée, voilà toute mon ambition» (*loc. cit.*), avant d'ajouter que «quelques-uns de nos meilleurs littérateurs [l'avaient] prié de ne rien

---

2. Sans doute pourrait-on voir également dans cette affirmation, en particulier dans le contexte de mon propos, la marque — une de plus — d'une prétention aristocratique. Par définition, le métier des lettres n'était pas, en effet, celui des aristocrates — ou de ceux qui se prenaient pour tels. Voir, à ce propos, la note suivante.

omettre sur les mœurs des anciens Canadiens»
(p. 16-17). Or voire!

Né en 1786 sous le régime instauré par l'Acte
de Québec, mort en 1871 sous la Confédération,
Philippe Aubert de Gaspé avait été, de par ses origines autant que son tempérament, un témoin privilégié des bouleversements qui, tout au long des trois
premiers quarts du XIXe siècle, transforment en profondeur la société québécoise. À cet égard, on peut
sans doute voir en lui et en son exact contemporain,
Louis-Joseph Papineau — ils partagent en effet les
mêmes dates de début et de fin de leur existence —,
les deux symboles divergents du cataclysme social
qui marque ces années cruciales — d'une part le
déclin de la vieille «noblesse» seigneuriale (je mets,
bien entendu, le mot «noblesse» entre guillemets[3]) et

_____

3. La noblesse et le statut seigneurial ne sont évidemment
pas identiques. Mais il n'en reste pas moins que, dans la situation
qui prévalait dans la société québécoise du XIXe siècle, les deux
états avaient tendance à se confondre. Voir, à ce propos, Roger
Le Moine qui écrit, dans le texte (encore inédit) d'une conférence,
«Considérations sur la noblesse canadienne», donnée en octobre
1998 devant la Société généalogique canadienne-française et en
février 1999 devant Le regroupement des anciennes familles: «[...]
je me permets d'avancer que les nobles font partie d'un groupe
qui se compose également de bourgeois et de seigneurs et qui
constitue la classe aisée» (p. 12). Je remercie Roger Le Moine de
m'avoir aimablement communiqué le texte de cette conférence.
D'une conversation avec lui, je retiens par ailleurs que s'il est
avéré que tous les chefs de familles nobles canadiennes étaient
seigneurs, il n'en découle pas pour autant que tous les seigneurs
aient appartenu à la noblesse (voir, à ce sujet, l'article de Victor
Morin, «La féodalité a vécu», _Les Cahiers des Dix_, n° 6, 1941,
p. 225-287). Tout au long de son roman, Aubert de Gaspé joue —
sciemment ou non? — sur les deux plans à la fois. J'utilise donc
moi aussi le mot «noblesse», dans ce contexte, pour désigner l'un
et l'autre état, même s'il ne correspond pas toujours au sens strict
qu'il faudrait lui donner.

son éloignement progressif du pouvoir, du reste largement symbolique ; de l'autre, la montée, puis l'hégémonie éventuelle de la bourgeoisie des notables. Seigneur lui-même[4], descendant d'un ancêtre qui avait été anobli par Louis XIV en 1693 et qui avait siégé par la suite au Conseil Souverain de la Nouvelle-France, fils enfin d'un colonel de milice qui avait été, sous la Constitution de 1791, membre du Conseil législatif[5], Aubert de Gaspé n'en fut pas sans ressentir dans sa vie à lui, puis dans celle de sa famille, les contrecoups de ces profonds changements opérés dans le tissu social, changements qu'était venue avaliser entre-temps, en 1854, l'abolition à haute valeur symbolique du régime seigneurial.

Par ailleurs — j'y faisais allusion ci-dessus —, la vie d'Aubert de Gaspé ne fut pas non plus exempte de déboires de nature plus personnelle. On pense notamment, ici, à la perte de son poste de shérif de la ville de Québec, survenue en 1822, revers qui devait culminer en trois années d'emprisonnement pour dettes, de 1838 à 1841. Si bien qu'il eut amplement l'occasion et le temps, au cours de sa longue existence, de s'interroger sur le sens et les finalités de la

4. Dans son article «*Les anciens Canadiens* ou Quand se fondent l'oral et l'écrit», paru dans *Les Cahiers des Dix* (n° 47, 1992, p. 192-215), article qui propose par ailleurs une excellente interprétation d'ensemble du roman, Roger Le Moine fait observer qu'Aubert de Gaspé ne portait le titre de seigneur que «de façon abusive» (p. 197) puisque, de la mort de son père à la sienne propre, il n'a disposé que de l'usufruit des biens de la succession du premier. Voir également, à ce propos, la note 8, *infra*.

5. Est-il besoin de préciser que, dans le contexte de la montée du pouvoir de la Chambre d'Assemblée établie par le Constitution de 1791, cet «honneur» n'avait plus la valeur qu'il avait pu avoir sous le régime instauré par l'Acte de Québec.

vie humaine. De cette réflexion aussi, les *Anciens Canadiens* portent abondamment la trace, comme je tenterai d'en faire plus longuement la démonstration ci-après.

Il me semble donc juste d'affirmer que ce roman possède une double dimension, individuelle puis collective, et que nous sommes en présence ici d'une entreprise d'écriture à caractère compensatoire, au sens où Marthe Robert, il y a déjà plus de vingt-cinq ans, entendait ce phénomène dans son beau livre, *Roman des origines et origines du roman*[6]. Mais, de façon plus importante encore, l'œuvre me semble tenir principalement d'une entreprise de justification — individuelle autant que collective —, qui en constitue à la fois le cœur et le véritable déclencheur. Arrivé, en effet, au terme de sa vie, une vie que d'aucuns, au premier chef l'intéressé lui-même, auraient pu être tentés de juger dénuée de tout éclat particulier, Philippe Aubert de Gaspé tente d'en dresser le bilan, d'en débusquer les motivations et d'en dégager les acquis, mais également d'en esquisser l'apologie. Et il fait cela à la lumière des valeurs de la classe sociale à laquelle il appartenait[7], valeurs dont il est prêt à prendre la défense, mais sans pour autant s'interdire de les soumettre à

---

6. Marthe Robert, *Roman des origines et origines du roman*, Paris, Grasset, 1972. (Paris, Gallimard, coll. « Tel », 1977.)

7. Voir, sur cet aspect du roman, l'article de Roger Le Moine, «*Les anciens Canadiens* ou l'envers de *Charles Guérin*», *Les Cahiers des Dix*, n° 49, 1994, p. 139-158. Les *Anciens Canadiens* se seraient voulus, dix ans plus tard, une réponse au roman de Chauveau, paru en 1853. Ce dernier avait en effet dépouillé les seigneurs de certaines de leurs prérogatives, tels la fête du mai et le banc seigneurial et il avait perçu fort négativement ses personnages issus de le noblesse.

l'examen et de les remettre, s'il le faut, en question. Valeurs, en outre, dont il a pu vouloir s'inspirer dans la conduite de sa vie, mais que la réalité s'était chargée, au cours des années, d'entamer. Car si les valeurs de son milieu demeurent, pour Aubert de Gaspé, intangibles, il n'en reste pas moins qu'il n'a pas toujours su, dans sa vie publique comme dans sa vie privée, respecter celles qui tiennent à l'honneur de l'individu[8]. C'est là, pour reprendre l'expression de Luc Lacourcière[9], que se situent, à mon avis, les véritables «enjeux» des *Anciens Canadiens*.

Mais commençons par la dimension collective pour en venir ensuite à la dimension individuelle.

Le lecteur attentif sait, dans les *Anciens Canadiens*, l'importance des notes infrapaginales et des «notes et éclaircissements» reportés en appendice. Ce sont, à bien des égards, ces gloses qui attestent le caractère «historique» du roman en nous permettant, notamment, de saisir comment certains éléments puisés par l'auteur dans l'histoire de sa famille ou la réalité ambiante ont apporté de l'eau au moulin de la fiction. Mais c'est aussi parfois dans ces notes, et plus particulièrement les notes infrapaginales, que l'auteur a dissimulé le fond de sa pensée, aux dépens, faut-il le préciser, du lecteur pressé, trop heureux de les considérer comme des excroissances superflues.

---

8. La façon dont, quelque temps avant sa mort survenue en 1823, peu après la révocation de son fils comme shérif de la ville de Québec, le père de l'auteur modifia son testament de manière à assurer à ce dernier l'usufruit des biens de sa succession n'est pas sans laisser deviner, de ce côté-là également, quelques compromissions avec l'honneur personnel puisque, de ce fait, la nue-propriété se trouvait à échapper à la saisie.

9. Voir Luc Lacourcière, «L'enjeu des *Anciens Canadiens*», *Les Cahiers des Dix*, nᵒ 32, 1967, p. 223-254.

Or, pour ma part, je n'en sais aucune plus essentielle à la compréhension du roman dans le sens où je l'ai esquissée à l'instant, que la deuxième du chapitre XV, le chapitre consacré au naufrage de l'*Auguste*, où, après avoir expliqué que le seigneur d'Haberville n'avait retrouvé sa gaieté d'antan qu'après la reconstruction de son manoir, l'auteur se permet, en bas de page, la réflexion suivante:

> En consignant les malheurs de ma famille, j'ai voulu donner une idée des désastres de la majorité de la noblesse canadienne, ruinée par la conquête, et dont les descendants déclassés végètent sur ce même sol que leurs ancêtres ont conquis et arrosé de leur sang. Que ceux qui les accusent de manquer de talent et d'énergie se rappellent qu'il leur était bien difficile, avec leur éducation toute militaire, de se livrer tout à coup à d'autres occupations que celles qui leur étaient familières. (p. 210)

Cette petite note de deux phrases à peine mériterait à elle seule toute une explication de texte, dont je me garderai pourtant ici, sinon pour en faire ressortir les expressions qui m'y paraissent les plus prégnantes de sens: «descendants déclassés», «sol [...] arrosé de leur sang», «éducation toute militaire».

Voilà donc le chat sorti du sac en ce qui a trait à l'un des enjeux des *Anciens Canadiens*: il s'agit bien ici de se porter à la défense d'une classe désormais déconsidérée dans le contexte de la nouvelle réalité sociale que le XIXe siècle avait instaurée. Aussi le roman exaltera-t-il un vieil idéal venu du fin fond du Moyen Âge, fondé sur le métier des armes et le service dû non pas tant à la patrie — notion par trop moderne — qu'au souverain. Les *Anciens Canadiens* se penchent en effet avec nostalgie sur le passé de ce que Philippe Aubert de Gaspé appelle tantôt la «noblesse canadienne», tantôt la «première classe de la société canadienne», à laquelle il fait vivre toute l'aventure de l'aristocratie française du XVIIIᵉ siècle. On n'a, pour s'en convaincre, qu'à se reporter au tableau idyllique qu'il nous peint de la famille d'Haberville au chapitre VII, capitaine/seigneur en tête, entouré de sa petite «cour»: sa femme, sa belle-sœur, son frère l'oncle Raoul qui a, lui aussi, un passé militaire, mais à qui son statut de cadet de famille permet néanmoins de se livrer aux plaisirs de la littérature, enfants aimants et soumis, domestiques fidèles, etc. Mais famille aussi où le droit de primogéniture fait que les femmes sont souvent obligées, pour ne pas obérer indûment la fortune du frère aîné, d'aller s'enfermer au couvent... Famille, enfin, qui se réjouira de l'ordre de Saint-Louis rapporté de France par Jules, mais où le père dira aussi à son fils en mourant (comme l'avait fait le propre grand-père de l'auteur): «Sers ton nouveau souverain anglais avec autant de zèle, de dévouement, de loyauté que j'ai servi le monarque français [...]» (p. 236). Telles sont en effet les dictées inéluctables de l'idéal aristocratique.

C'est ce même idéal, généreux mais si peu souple, qui sera au cœur de l'intrigue du roman. C'est lui qui fera dire au capitaine d'Haberville, pour justifier l'hospitalité qu'il offre au jeune Arché: «Tous les guerriers sont frères» (p. 31), mais qui amènera aussi, quelques années plus tard, les deux amis à s'affronter en ennemis dans des armées rivales. C'est ce même idéal, enfin, qui obligera Blanche à refuser la main d'Arché parce qu'alors que les deux jeunes hommes se sont acquittés de leur service au prix de leur sang, Blanche, elle, doit encore le sien. «Les femmes de ma famille, aussi bien que les hommes, n'ont jamais manqué à ce que le devoir prescrit [...]», explique-t-elle à Arché (p. 243), tandis qu'à son frère, venu tenter une ultime démarche de persuasion, elle répondra: «Mais moi, faible femme, qu'ai-je fait pour cette terre asservie et maintenant silencieuse [...]?» (p. 268).

À un niveau superficiel, Aubert de Gaspé semble s'être bien accommodé de la notoriété sociale que leur statut seigneurial conférait à ses ancêtres et des quelques privilèges qui lui en restaient personnellement. Ainsi, jouant une fois de plus sur ses qualités de noble et de seigneur, il ne manque pas de saluer au passage, dans une note, les «égards» dont le gouverneur Dorchester entourait, en son temps, la «noblesse canadienne» (p. 231) et s'il laisse pointer un soupçon d'amertume au souvenir encore récent, en 1863, de l'abolition du régime seigneurial, en parlant de «[c]es droits seigneuriaux, si solides, [qui] ont croulé dernièrement sous la pression influente d'une multitude de censitaires contre leurs seigneurs, et aux cris de: fiat justi*f*ia! ruat cœlum!» (p. 106), il se réjouit par contre de ce que la fabrique paroissiale de Saint-Jean-Port-Joli lui ait laissé à vie la jouissance du banc seigneurial (p. 225).

Mais ce n'était là, faut-il le rappeler, que de beaux souvenirs, des survivances nostalgiques d'une autre époque, dont Aubert de Gaspé, en homme intelligent qu'il était, devait bien se rendre compte qu'elles ne pouvaient se perpétuer indéfiniment dans la nouvelle donne que les aléas de l'évolution politique et sociale avaient mise en place. Au fait, il devait y avoir longtemps, au moment d'entreprendre la rédaction de son roman, qu'il avait commencé de s'interroger de façon plus personnelle sur les tenants et aboutissants de cet idéal aristocratique qu'il met en scène dans les *Anciens Canadiens*. L'œuvre, en tout état de cause, porte aussi la marque de ces interrogations.

Et cela très tôt dans le roman. À la fin du chapitre II, qui fait état de la solide amitié qui s'est instaurée entre Jules et Arché, le narrateur s'inquiète déjà des «épreuves bien cruelles [que le] code d'honneur, que la civilisation[10] a substitué aux sentiments plus vrais de la nature» (p. 33) fera subir à cette amitié quand les «devoirs inexorables» des deux jeunes gens les appelleront à combattre sous des drapeaux ennemis. Or, c'est précisément ce code d'honneur, émanation de la noblesse, qui sera au cœur du débat qui se joue dans l'âme et le cœur d'Arché au moment où, au chapitre XII, il reçoit de son commandant, Montgomery, l'ordre d'incendier les habitations de la Côte du Sud. Arché, en effet, est déchiré entre l'obligation que lui fait le code de l'honneur militaire d'obtempérer à un ordre clair et celle que lui dicte son cœur d'obéir au devoir de gratitude qui découle de l'amitié dont l'a honoré la famille d'Haberville. Il finira, en fin de compte, la mort dans l'âme, par obéir à ces deux obligations, obtempérant à l'ordre de Montgomery, mais tentant aussi d'en mitiger les effets en faisant avertir les habitants de la catastrophe qui s'apprête à fondre sur eux. Solution guère satisfaisante, à la vérité, puisque, en agissant ainsi, Arché commet effectivement une infraction au code de l'honneur militaire. Mais, du point de vue du

---

10. On pourrait se demander si Aubert de Gaspé n'utilise pas ici le mot «civilisation» pour faire oublier que les façons dont il parle sont celles de sa classe sociale.

cœur, la seule possible, sans doute, face au manque de souplesse qui caractérise le code de vie aristocratique. On le sait, Arché aura de nouveau maille à partir, quelques années plus tard, avec le code d'honneur, au moment où Blanche lui refusera sa main. Son avenir et son cœur brisés, il n'en devra plus qu'à lui-même et à sa force de caractère de pouvoir se replier sur l'idéal de bienfaisance universelle qui deviendra le sien par la suite.

Face aux dilemmes cruels dans lesquels se débattent les principaux personnages du roman, les *Anciens Canadiens* esquissent, en effet, une autre voie de solution qui est celle d'une sagesse plus proprement humaine et qui n'est pas sans évoquer l'idéal romantique. C'est celle à laquelle se résout en fin de compte Arché, un peu malgré lui. Mais celle aussi dont fait état, sous une forme légèrement différente, le chapitre X, avec l'histoire du «bon gentilhomme»: se retirer du monde, rentrer en soi, trouver au fond de son propre cœur une source de contentement. Il ne fait guère de doute qu'à travers le récit de la vie de M. d'Egmont, c'est sa propre histoire, mais embellie et transformée, que raconte Philippe Aubert de Gaspé, une sorte de catharsis à laquelle il se livre au soir de sa vie tourmentée. Et il est intéressant, par ailleurs, de noter que c'est à Jules que cette histoire est racontée, avant même son départ pour la guerre. Elle plantera en lui le germe de l'homme sage qu'il sera devenu à la fin du roman.

Il me paraît en effet que, dans la dernière partie de son œuvre, Aubert de Gaspé esquisse trois solutions possibles aux conflits moraux qu'il a mis en scène. La première est celle de Blanche dont, tout en admirant la sublimité du refus, il ne manque pas de dénoncer (à travers les propos de Jules) les «sentiments trop exaltés qui faussent le jugement» (p. 267) et qui imposent «des sacrifices qui ne sont pas dans la nature» (*loc. cit.*). Aubert de Gaspé ne saurait, en définitive, se rallier à pareille raideur cornélienne. Quant à la solution d'Arché, celle de la bienfaisance universelle, elle ne lui en apparaît pas moins, malgré sa générosité, comme une stratégie de repli, un pis-aller pour ceux qui ont le cœur brisé[11]. Aux derniers paragraphes du roman, par ailleurs, alors que Blanche et Arché paraissent condamnés à refaire interminablement leur partie d'échecs, ô combien symbolique, la solution de Jules, quant à elle, se dégage comme celle de l'accommodement aux circonstances. C'est la solution à laquelle, en fin

---

11. Il y aurait d'ailleurs un long développement à faire sur le personnage d'Arché, pour lequel Aubert de Gaspé semble avoir eu une affection particulière. Trop peu de commentateurs, à mon avis, se sont penchés sur la signification profonde de ses origines écossaises et, qui plus est, jacobites, qui font de lui, dans la foulée de la *Glorious Revolution* de 1688 et, plus encore, dans celle de la défaite jacobite à Culloden (1746), un ennemi héréditaire de l'Angleterre («les Écossais sont les sauvages des Anglais», rappelle opportunément Dumais à la Grand'Loutre, pour sauver la vie d'Arché, au chapitre XIII [p. 179]), à laquelle, tel Rob Roy chez Walter Scott, il finit malgré tout par se rallier. Pourtant, catholique de religion, français par sa mère, éduqué en France puis à Québec avant la Conquête, Arché avait tout pour mériter l'affection et la confiance de la famille d'Haberville et contracter en son sein une union heureuse. L'ironie est dès lors d'autant plus cruelle qui fait de lui, à l'occasion de la guerre de Sept Ans, un soldat de l'armée britannique, avec les conséquences que l'on sait. En outre, à côté du personnage quelque peu fantasque de Jules, Arché représente le bon sens, l'esprit d'initiative, la mesure. On n'a, pour s'en convaincre, qu'à comparer son rôle à celui de Jules dans l'épisode de la débâcle, au chapitre V. Enfin, signe de la dilection particulière qu'Aubert de Gaspé nourrissait à son endroit, faut-il rappeler que c'est lui qui sauve la vie de Jules lors de la bataille des Plaines d'Abraham (chapitre XIV)?

de compte, Aubert de Gaspé semble accorder sa préférence[12]. Fantasque dans sa jeunesse comme semble l'avoir été l'auteur lui-même, Jules, son service fait, s'est rangé, en fidélité aux principes que lui avait inculqués le bon gentilhomme. Se pliant aux réalités nouvelles, il a épousé une Anglaise (comme Gaspé lui-même) et préside, avec bienveillance et sagesse, aux destinées de sa famille. Il y a fort à parier que le jeune Arché d'Haberville, «fils unique de Jules et filleul de Locheill» (p. 281), qui fait une brève apparition aux dernières lignes du roman et que son père qualifie de «grave philosophe» (*loc. cit.*), c'est un peu Philippe Aubert de Gaspé, comme il devait, certains soirs, se rêver d'avoir été lui-même, réunissant en sa personne les meilleures qualités de ces deux personnages qui, issus certes de deux traditions culturelles différentes, n'en mettaient pas moins en évidence, chacun à sa façon, les traits les plus attachants de l'humaine condition.

Si, dans les *Anciens Canadiens*, Philippe Aubert de Gaspé entonne le requiem d'une classe en voie d'extinction, il n'est pas prêt, pour autant, à la voir s'enfoncer dans les eaux du Léthé sans qu'il en ait célébré les valeurs et le mode de vie. En même temps, il est bien conscient du fait qu'il s'agit là d'un passé révolu et que l'avenir appelle des solutions

---

12. Attitude qui semble avoir été majoritairement celle de la classe des seigneurs et de la classe noble et à laquelle, justement, Chauveau s'en était pris, en 1853, dans *Charles Guérin*. Voir, à ce propos, l'article de Roger Le Moine, cité précédemment, «*Les anciens Canadiens* ou l'envers de *Charles Guérin*». On pourra également se reporter utilement aux propos éclairants de Le Moine, dans son article précédemment cité, «*Les anciens Canadiens* ou Quand se fondent l'oral et l'écrit», sur les motifs de la «mesure» et de la «démesure» dans le roman.

nouvelles. Mais il y a lieu de se demander également si, dans un monde qui était déjà en profonde mutation, le temps des solutions nouvelles qu'il esquisse n'était pas lui aussi, en 1863, révolu. Car, à tout, il y a une aurore et un couchant...

Angéline de Montbrun:
à la jonction du vécu et du littéraire

NICOLE BOURBONNAIS
Université d'Ottawa

On l'a dit plus d'une fois. Au sein de la production romanesque du XIXe siècle essentiellement consacrée à l'histoire ou à la société, le roman polyphonique de Laure Conan, *Angéline de Montbrun*, paru en 1884[1], se démarque nettement par la nouveauté de sa forme romanesque et le caractère introspectif de son contenu. Seule de son époque à adopter la voix à la première personne par le truchement de la lettre et du journal, Laure Conan privilégie l'expression de l'intime pour raconter l'histoire d'une vie, de l'enfance à la mort pour ainsi dire. Tout fictif qu'il soit, ce roman est donc proche du récit de vie. Comment s'explique cette originalité, voire cette audace? Faut-il l'attribuer uniquement au fait que l'auteure soit une femme? Le premier critique du roman, l'abbé Casgrain, ne manque pas de relever que

> par cette intuition naturelle aux intelligences de son sexe, elle a deviné le genre du roman moderne qui en

---

1. Laure Conan, *Angéline de Montbrun*, Québec, Brousseau, 1884. Le roman avait d'abord été publié en feuilleton dans la *Revue canadienne*, juin 1881- août 1882.

fait la supériorité : l'étude plus achevée des caractères et des situations, l'analyse d'une âme[2].

Sans doute, cette piste n'est-elle pas à écarter d'emblée. Mais Casgrain en propose une autre, sans vraiment y croire toutefois, celle de l'étroite filiation littéraire avec le *Journal*[3] d'Eugénie de Guérin. Depuis, plusieurs critiques ont cherché des explications à l'étonnante modernité de ce roman. Condition féminine, mythe personnel, intertextualité féconde, voilà autant d'approches qui ont été utilisées pour déchiffrer l'œuvre. Au fil du temps, différentes lectures ont donc été entreprises, d'ordre psychanalytique et biographique entre autres. Comment la vie et l'inconscient de la romancière ont-ils pu nourrir la fiction, l'infiltrer pour lui donner sens et forme? Roger Le Moine, à qui nous rendons hommage aujourd'hui, et qui a contribué à mieux faire connaître Laure Conan par son excellente édition des *Œuvres romanesques*[4], a bien vu aussi que le désir d'écrire de Laure Conan puisait ses sources ailleurs que dans le souci d'édification ou le seul

---

2. Henri-Raymond Casgrain, «Étude sur *Angéline de Montbrun* par Laure Conan», dans *Œuvres complètes*, t. I, Montréal, Beauchemin, 1884, p. 416.

3. *Id., ibid.*, «*Angéline de Montbrun* est évidemment une sœur d'Eugénie de Guérin», p. 417. Le journal intime d'Eugénie de Guérin, qui fut publié pour la première fois en 1855, à titre posthume, connut un immense succès tant au Canada français qu'en France.

4. Laure Conan, *Œuvres romanesques*, édition en trois tomes préparée et présentée par Roger Le Moine, Montréal, Fides (coll. du «Nénuphar»), 1974 et 1975.

besoin financier: «Pourtant,» écrit-il dans la préface au premier tome de son édition:

> un écrivain fait exception à la règle. Vivant loin des cénacles littéraires de Québec et de Montréal, victime d'une peine d'amour dont elle ne se remettra jamais tout à fait, Laure Conan donne, au début de sa carrière surtout, des œuvres toutes chargées d'expérience et [...] qui trahissent les impulsions de son subconscient[5].

Comment s'élabore et se tisse une œuvre novatrice? Tout texte ne s'écrit-il pas à partir d'autres textes? Mais ne puise-t-il pas aussi dans un matériau de vie? Car toute vie n'est-elle pas aussi un texte, une fiction qui en interpelle d'autres? J'aimerais ici tenter de montrer à quel point *Angéline de Montbrun* est issu d'un génotexte hybride et complexe, celui d'une œuvre, le *Journal* d'Eugénie de Guérin mais aussi de deux matériaux de vies, ceux de la diariste et de la romancière.

Que Laure Conan ait adopté comme principal modèle littéraire de son roman le *Journal* d'Eugénie de Guérin ne fait pas de doute: les ressemblances tant formelles que thématiques sont trop nombreuses pour ne pas sauter aux yeux[6]. En premier lieu, le journal que rédige la jeune aristocrate du Cayla oscille entre la forme épistolaire et le monologue intérieur. En effet, il est d'abord et avant tout rédigé comme une lettre destinée à un lecteur privilégié, Maurice, le frère tant aimé qui vit éloigné à Paris:

---

5. *Ibid.*, t. I, p. 9.

6. Voir Nicole Bourbonnais, «*Angéline de Montbrun*, de Laure Conan: œuvre palimpseste», dans *Voix & images*, vol. 22, n° 1 (64), automne 1996, p. 80-94.

> C'est ici, mon ami, que je veux reprendre cette corres-
> pondance intime qui nous plaît et qui nous est néces-
> saire, à toi dans le monde, à moi dans la solitude[7].

Néanmoins, ce texte porte le nom de «*Journal*» et sert de double secret à qui se confier, loin des regards indiscrets du père et de la sœur: «Mais aussi j'ai besoin d'un confident à toute heure; je parle quand je veux à ce petit cahier; je lui dis tout, pensées, peines, plaisirs, émotions» (*J*, I, 109). Et, avant de le faire lire à Maurice, elle biffera parfois des lignes, voire des pages entières. Quant aux événements et aux sujets traités dans ce *Journal*, ils sont très proches de ceux d'*Angéline de Montbrun*. Une sœur attentionnée sert de mentor à son frère Maurice, à qui elle écrit fréquemment, prodigue mille conseils, suivant de près l'évolution de ses fiançailles avec la belle héritière, Caroline de Gervain. Sa mort la lais-sera inconsolable, minée par la douleur et le déses-poir, sentiments qu'elle confiera à son journal comme le personnage d'Angéline après la mort du père et la rupture de ses fiançailles avec Maurice. Dans les deux textes se révèle en filigrane un attache-ment parental excessif, de l'ordre de l'inceste, celui de la sœur pour le frère et celui de la fille pour le père. La mémoire intertextuelle est encore convoquée par la ressemblance entre les lieux: et le château du Cayla et le manoir des Montbrun représentent un domaine champêtre édénique mais isolé, coupé de la vie de société. «Volontiers, je ferais vœu de clôture au Cayla» (*J*, I, 16), affirme Eugénie de Guérin, ce à

---

7. Eugénie de Guérin, *Journal*, t. I, Montréal, Fides, 1946, p. 117. Les citations du *Journal* seront tirées de cette édition et indiquées entre parenthèses par le sigle *J*, suivi du numéro du tome et du folio. Le tome II a été publié la même année.

quoi fait écho le souhait d'Angéline «de rester toujours campagnarde jusqu'au fond de l'âme[8]». Enfin,
les images et motifs similaires abondent, qu'il
s'agisse de la chute de cheval, de l'arbre abattu par
l'orage, de l'innocence des enfants du voisinage ou
encore des pleurs versés sur le passé. Cette parenté
étroite entre les deux œuvres se double à son tour
d'une étonnante similitude entre les existences res-
pectives des deux écrivaines.

Comme Laure Conan, Eugénie de Guérin vit à
une époque où les femmes écrivent peu et, si elles le
font, leurs œuvres sont rarement publiées. C'est le
cas de la diariste qui a composé plusieurs poésies
dont un recueil intitulé *Enfantines* qu'elle a longtemps rêvé de faire publier. Mais Eugénie de Guérin
n'arrive pas à se défaire d'un certain malaise face à ce
désir, celui qu'une femme n'est pas faite pour
l'impudeur de la publication. Paradoxalement, c'est
l'écrit qu'elle réservait pour l'intimité qui deviendra
public. Car, après sa mort survenue en 1841, ses proches découvrent ce journal rédigé de 1834 à 1840: ils
sont si éblouis par l'originalité de l'écriture comme
par la finesse de la pensée qu'ils confient à l'abbé
Trébutien le soin de le publier, ce qui sera fait en
1855. Eugénie de Guérin possède en effet l'art
d'exprimer de manière toute personnelle les pensées
les plus humbles, de transfigurer les événements les
plus prosaïques.

Il n'est pas étonnant que Félicité Angers reconnaisse en son illustre devancière une caution, une
autorité morale et un modèle exemplaire. Car elle-

---

8. *Angéline de Montbrun*, dans *Œuvres romanesques*, t. I,
op. cit., p. 123. Les citations seront tirées de cette édition et
indiquées entre parenthèses par le sigle *AM*, suivi du folio.

même a éprouvé une grande réticence devant l'écriture. Dans une lettre à l'abbé Casgrain, elle affirme :

> J'ai déjà une assez belle honte de me faire imprimer. Peut-être monsieur ne comprendrez-vous pas ce sentiment — les hommes sont faits pour la publicité[9].

Or, voici qu'une femme atteint la renommée (huit éditions en 16 mois) uniquement en traduisant ses pensées intimes, sa modeste expérience de vie, fournissant ainsi la preuve éclatante que non seulement elle a le droit d'écrire mais qu'elle peut y exceller et mériter la reconnaissance du public. Mais, de surcroît, cette femme mène une existence semblable en bien des points à celle de Félicité Angers. Car, tout aristocrate qu'elle soit, Eugénie de Guérin partage son temps entre les soins du ménage, de la cuisine, de la couture, l'assistance aux offices religieux et quelques sorties mondaines dans les châteaux des environs, sorties qui, avec le passage du temps, se feront de plus en plus rares :

> On ne la voit guère hors du logis que pour de rares visites d'amitié ou pour se rendre aux offices divins, cheminant le long de la grève et toujours simplement vêtue[10].

S'il n'y avait le mot «grève», l'on pourrait croire que cette description de l'abbé Casgrain s'applique à la jeune châtelaine du Cayla et non à Laure Conan. Toutes deux vivent pauvrement, dans l'économie la plus sricte ; ni l'une ni l'autre n'est dotée de grands attraits physiques et leur peu de fortune n'est pas fait non plus pour attirer les prétendants. Dans un cas comme dans l'autre, il y aura brièvement quelque

---

9. Lettre de Laure Conan à l'abbé Casgrain, 9 décembre 1882, Archives nationales du Québec, liasse 0457, n° 61.

10. Henri-Raymond Casgrain, *op. cit.*, p. 415.

espoir d'entretenu (Pierre-Alexis Tremblay pour Laure Conan, M. de la Morvonnais, un veuf, ami de Maurice, pour Eugénie de Guérin), mais aucun des mariages escomptés n'aura lieu. Elles vivront donc l'une et l'autre au sein de leur famille avec les obligations et les contraintes que cela représente.Toutes deux sont attachées au père, toutes deux sont privées de l'affection maternelle, l'une ayant perdu sa mère à l'âge de 13 ans, l'autre, subissant la froideur d'une mère acariâtre. C'est auprès d'amies de cœur qu'elles trouveront réconfort et consolation grâce à une correspondance suivie: ce sera Louise de Bayne pour Eugénie de Guérin, et Aurélie Caouette, la fondatrice des Sœurs du Précieux-Sang, pour Laure Conan. La lecture leur est aussi d'un grand secours. Intelligentes, cultivées, elles partagent encore un goût passionné pour les œuvres littéraires et édifiantes, fréquentant notamment Bossuet, Corneille, Pascal, Lamartine, Hugo, saint Augustin, Walter Scott. Lisant le *Journal* d'Eugénie de Guérin, Félicité Angers ne peut qu'y reconnaître de manière quasi hallucinante sa propre vie. Devant cette évidence, comment ne pas être tentée d'intérioriser un modèle si ressemblant?

Comment devant ce miroir de sa vie qui lui était tendu, Félicité Angers pouvait-elle ne pas y chercher aussi les secrets de la création? Ce témoignage d'une existence qui pourrait être la sienne, elle observe comment la diariste l'a transformé en objet artistique, en espace de création. Le traitement poétique qu'Eugénie de Guérin accorde à son expérience personnelle est on ne peut plus révélateur pour l'étude d'*Angéline de Montbrun*. Loin de s'attacher à faire le compte rendu fidèle et exact des menus événements de sa vie, selon une chronologie bien ordonnée, la diariste suit plutôt le désordre de ses émotions et de ses pensées. Elle saute souvent des jours d'écriture :

> Lacune de plusieurs jours. Je me trouve à présent sur une page déchirée, accident qui ne m'empêchera pas d'écrire. Je sais d'ailleurs que pareille chose arrive souvent au papier du cœur. (J, I, 112)

Car c'est justement la déchirure au sein de l'uniformité des jours qui laisse le champ libre à l'écriture. Le journal départage deux temps et deux espaces bien distincts : la vie profane consacrée aux soins du ménage ou la «vie matérielle» ainsi qu'elle la désigne, et la vie sacrée, celle qui est réservée à la prière comme à l'écriture. L'une s'exerce dans l'extériorité et la vie publique : surveiller les domestiques, faire la cuisine pour «les bûcherons et les menuisiers», se rendre à l'église ou visiter les malades par n'importe quel temps : «Tout mon temps s'est passé en occupations, en affairages; ni lecture, ni écriture; journée matérielle» (J, I, 109). Étrangère à la vie intérieure, l'agitation physique dérobe au moi de précieux instants d'échange avec l'alter ego. Le «faire» envahissant prend le pas sur le «dire» fécond, gratifiant :

> Hier s'est passé sans que j'aie pu te rien dire, à force d'occupations, de ces trains de ménage, de ces courants d'affaires qui emportent tous mes moments et moi-même [...] Mais ces soins-là pèsent à l'âme, ils la fatiguent, l'ennuient souvent [...] Oh! que j'aurais mieux aimé être ici, avec un livre ou une plume!
> (J, I, 110-111)

À l'opposé du temps profane qui exclut la communion avec Maurice comme avec l'au-delà, le temps sacré, celui de l'écriture, se déploie dans l'intimité, dans la pure intériorité, le regard tourné vers soi ou vers son double, le noble Maurice, ou encore vers Dieu: «Oh! quelle jouissance d'être sans distractions avec Dieu et avec soi-même, avec ce qu'il y a en nous qui pense, qui sent, qui aime, qui souffre!» (*J*, I, 114) Cette activité élevée nécessite un lieu à soi, une «chambrette[11]» pour le recueillement, un cahier qu'on cache dans sa poche loin des regards indiscrets. La solitude, «bienheureux état» (*J*, I, 111), est indispensable à l'épanchement du cœur: «Aujourd'hui, je rentre en moi-même, et vais achever ma page» (*J*, I, 19). C'est alors que peut s'accomplir la transmutation du vil métal en or, que peut s'atteindre l'unité fondamentale du moi: «Mais, mon cahier, va dedans : *ceci n'est pas pour le public, c'est de l'intime, c'est de l'âme*, c'est pour un» (*J*, I, 90). Ainsi, pour accéder à la vraie vie, faut-il que soit consommée la rupture avec l'extérieur, avec la vie matérielle, trop insignifiante, indigne de l'acte de sacralisation que représente le rite scripturaire.

L'écriture devient donc un rituel de vie qui a pour fonction de créer le «moi», de l'informer: «C'est mon signe de vie que d'écrire, comme à la fontaine de couler» (*J*, I, 66). Eau régénératrice, l'encre s'assimile au sang, liquide vital, instrument de résurrection :

De l'encre enfin! Je puis écrire ; de l'encre! bonheur et vie. J'étais morte depuis trois jours que la circulation

---

11. Terme fréquent dans le *Journal*: la diariste insiste sur l'importance de l'exiguïté du lieu où elle s'adonne à l'activité créatrice. Sa chambrette est un «cher réduit» (*J*, I, 90), analogon du dedans et du moi. Elle s'y tient cachée, à l'abri des intrusions de l'extérieur.

de ce sang me manquait, morte, pour mon cahier, pour toi, pour l'intime. (*J*, II, 39)

Sans l'activité créatrice, qui l'exhausse et l'arrache à sa terne existence, Eugénie de Guérin ne se sent pas véritablement exister.

Mais, paradoxalement, cette écriture qui la fait vivre s'édifie sur le vide, le néant de toutes choses, la fuite du temps, la mort et son défilé de victimes. Car ce sont là les sujets récurrents, quasi obsessionnels d'Eugénie de Guérin: «Je ne sais pourquoi la nuit dernière, je n'ai vu défiler que des cercueils» (*J*, I, 16); ou encore: «Le soir, quand je suis seule, toutes ces figures de mort me reviennent» (*J*, I, 11). Régulièrement, au fil des entrées, la diariste égrène le nom des morts survenues, anciennes ou récentes, proches ou éloignées, bêtes et créatures humaines confondues. Comme si de les nommer permettait d'exorciser la pensée lancinante de la mort qui l'habite. Ce thème et ce motif deviennent sous sa plume la métaphore privilégiée, contaminant tout son univers si bien que ses «pensées prennent toutes le deuil, et le monde [lui] paraît aussi triste qu'un tombeau» (*J*, I, 11). Dans son cahier, vie et mort se rejoignent, se confondent l'une l'autre: «Que de fois l'allégresse et le deuil nous arrivent ensemble!» (*J*, I, 9) Seule demeure, souveraine, l'écriture à l'infinie vertu récupératrice.

La rédaction du *Journal*, activité cachée, coupée de l'espace de production, accomplie dans un minuscule refuge, essentiellement consacrée à la mort, opère un repliement sur soi si total qu'il abolit le monde autour de soi. Même la lettre, avec laquelle il se confond, échoue à rejoindre le frère tant aimé et double de soi:

> Mais mon ami, me liras-tu jamais? Sera-ce bon pour
> toi de me voir ainsi jusqu'au fond de l'âme? Cette
> pensée me retient et fait que je ne dis pas grand'chose
> ou que je ne dis rien, des mois entiers. (*J*, I, 97)

En outre, dans ce journal de nature épistolaire, la destinatrice ne cesse de déplorer le peu d'empressement que met son destinataire à lui écrire. Si bien que cette longue missive qu'elle lui adresse, peut-être en pure perte, renvoie en abyme à l'absence de lettres en vain attendues. Mais reçoit-elle enfin une lettre de ce frère, qui lui est d'ailleurs remise à la dérobée, volée en quelque sorte, qu'elle n'y trouve pas la communion tant cherchée : «[T]u ne m'ouvres que la tête : c'est le cœur, c'est l'âme, c'est l'intime, ce qui fait ta vie, que je croyais voir» (*J*, I, 83). La mort précoce de Maurice en juillet 1839 viendra mettre un terme irrémédiable à l'échange épistolaire. Le journal n'aura plus sa raison d'être : «Et écrire, que me fait d'écrire?» (*J*, II, 161) Désormais, prisonnière de son deuil, de sa douleur, les mots ne lui servent qu'à s'enfoncer davantage dans la solitude et la déréliction. Après une série d'entrées sporadiques adressées «A MAURICE MORT, A MAURICE AU CIEL» (*J*, II, 81), Eugénie mettra fin en décembre 1840 à ce journal qui avait été si longtemps sa ligne de vie.

Que peut donc retenir Laure Conan de cette leçon de vie et d'écriture? Elle y trouve un reflet saisissant, d'une part, des rêves d'amour entretenus et, d'autre part, du désenchantement et de l'amertume qui l'habitent. Elle y voit aussi se dessiner une relation au monde, celle d'une quête impossible de l'autre qui aboutit au silence et à la mort. Les deux diaristes finissent par se taire à tout jamais. On comprend mieux dès lors le choix des voix narratives qui orchestrent *Angéline de Montbrun*. La forme épisto-laire de la première partie, par les échanges qu'elle favorise, tente d'abord de réduire la distance qui sépare les personnages. En pure perte: les rappro-chements opérés resteront de surface et transitoires. Si les voix multiples donnent lieu à une diversité d'interactions, leur perspective demeure invariable, c'est celle de l'extériorité. En effet, les personnages que Mina, la principale épistolière de la première partie, tient sous sa loupe, sont pourtant éloignés d'elle à la fois par l'esprit et dans l'espace. C'est depuis Québec que l'ironique jeune fille exerce son regard décapant sur les habitants de Valriant. Elle se moque aussi bien de l'«armure enchantée» (*AM*, 145) de Charles de Montbrun que de la gau-cherie de son frère. Lorsqu'elle se rapproche dans l'espace des habitants de Valriant, elle s'en éloigne tout aussitôt par ses lettres à Emma: la vision du cloître, avec sa «grande clarté du désabusement» (*AM*, 144) s'oppose clairement à la vie frivole des châtelains. À l'ironie anéantissante de Mina vient s'ajouter la condescendance de Charles de Mont-brun dans la lettre qu'il expédie à son futur gendre. L'aveuglement candide de la silencieuse Angéline ne vaut guère mieux. Il est d'ailleurs significatif que les seules paroles de tendresse adressées à son fiancé figurent dans une lettre qui doit traverser l'océan pour le rejoindre. Comme dans le *Journal* d'Eugénie de Guérin, nous assistons là aussi à un échec de la relation épistolaire.

Échec qui se confirme encore par l'intériorisa-tion croissante du point de vue entraînant un replie-ment sur soi de plus en plus grand. C'est dès sa deuxième lettre à Maurice que Mina révèle les secrets trouvés dans les «quelques pages intimes que Mme de Montbrun a laissées» (*AM*, 103). Puis, quittant Québec et les bals, elle vient s'enfermer dans «cette maison isolée et riante qui regarde la mer» (*AM*, 107). Mais c'est pour se tourner vers une nouvelle correspondante, Emma, la religieuse cloîtrée, qui l'incitera à fuir le monde. Impuissante à nouer un authentique rapport avec Charles de Montbrun, Mina, qui penche déjà pour le couvent, fait une allusion significative à l'auteure du *Journal* : «Vous savez qu'Eugénie de Guérin n'a jamais été recherchée. Il y a là matière à réflexions pour Mina Darville et son cercle d'admirateurs» (*AM*, 125). Simultanément, Angéline, dans une lettre à son fiancé, lui avoue qu'après son départ elle a été «obligée de [s]e tenir renfermée» (*AM*, 125). Les vertus transitives de la lettre se révèlent inopérantes, ce que vient brutalement confirmer la mort subite de Charles de Montbrun, qui met fin aussi bien à la partie épistolaire du roman qu'aux rapprochements entre les personnages.

En effet, de même que le *Journal* d'Eugénie de Guérin, après la mort du frère, perdait son statut de lettre, *Angéline de Montbrun*, après la mort du père, adopte la forme du journal intime, texte à une seule voix. Dans cette troisième partie, Laure Conan n'aura plus recours que de manière épisodique à l'échange de lettres. Le «je» refuse désormais tout interlocuteur valable, tout rapport à autrui qui n'évoque pas d'une manière ou d'une autre le père mort et tant aimé. Le point de vue de l'intériorité prend définitivement le pas sur celui de l'extériorité. Et consomme l'enfermement total du moi qui s'abîme dans la douleur et le regret : «J'ai comme un

saignement en dedans, suffocant, sans issue»
(*AM*, 157). Aussi les rares lettres reçues ou envoyées,
intégrées au journal d'Angéline, proviennent-elles
de personnages qui ne font plus partie du monde des
vivants: quelques missives à Mina qui a choisi de
s'enterrer au cloître, lettre posthume de Véronique
Désileux, une «voix qui n'est plus de ce monde»
(*AM*, 175), celle d'un missionnaire qui lui avoue
souffrir de «son isolement terrible» (*AM*, 231) et qui
lui raconte la pieuse fin d'une nouvelle convertie
baptisée du prénom d'Angéline. Enfin, l'ultime lettre
d'adieu à Maurice, qui met un terme définitif à
l'ultime chance de rejoindre l'autre et la vie. Toutes
ces lettres convergent vers l'absence et le néant. Les
narrataires sont donc progressivement effacés au
profit d'un entretien intime et imaginaire avec le
cher disparu: «M'entendez-vous mon père quand je
vous parle? Savez-vous que votre pauvre fille revient
chez vous se cacher, souffrir et mourir?» (*AM*, 157)
Cet appel tragique de la fille adressé au père bien-
aimé rappelle de manière étonnante le cri de
détresse qu'Eugénie de Guérin lance à son frère
mort: «O mon ami, Maurice, Maurice, es-tu loin de
moi, m'entends-tu? [...] Toute ma vie sera de deuil, le
cœur veuf, sans intime union» (*J*, II, 81-82).

On n'en finit plus de repérer de nouveaux liens
intertextuels entre le roman *Angéline de Montbrun*
et le *Journal* d'Eugénie de Guérin, mais leur tissage
est complexe car, s'effectuant à l'intérieur de récits
de vie, il fait jouer aussi les rapports étroits entre
deux existences qui ne nous parviennent elles-
mêmes que fort altérées par l'imaginaire. La vie de
Laure Conan, peu connue, se fonde en grande partie
sur les témoignages oraux; celle d'Eugénie de Guérin

nous parvient à la fois manipulée par le travail poétique et par la censure. Le travail fictionnel effectué sur les matériaux existentiels obéit aussi bien aux déterminations inconscientes qu'aux impératifs littéraires et à la mémoire intertextuelle. Laure Conan fut la première de son époque, au Québec, à ne pas écrire dans l'aliénation totale de soi mais si elle y parvint, c'est en grande partie grâce au modèle littéraire exemplaire que fut pour elle le *Journal* d'Eugénie de Guérin. Cette œuvre de transfiguration d'une vie humble, toute tournée vers soi, mais sans cesse en quête d'autrui, lui servit à la fois de filtre littéraire et de prisme déformant pour livrer son propre témoignage.

Hasards et petits bonheurs de la découverte

RÉJEAN ROBIDOUX
de la Société royale du Canada
Université d'Ottawa

Dans notre métier, les trouvailles les plus éclatantes sont souvent le fruit non de la science ou de l'érudition, mais du hasard ou de la pure chance. Le chercheur Roger Le Moine a dû, j'en suis certain, en faire maintes fois l'expérience : ce sont là des coups du sort qui vous laissent les plus délectables satisfactions. En ce colloque familier, j'en évoquerai brièmement quelques exemples de mon cru, choisis entre cent autres, qui m'ont particulièrement amusé, quand je passais pour un expert et que je n'étais au fond qu'un simple veinard.

J'en ai fait l'expérience dès le départ, à l'été 1956, quand explorant les papiers Taché aux Archives de la Province de Québec, à la recherche de renseignements anecdotiques sur la dispute des *Soirées canadiennes* en 1862, j'avais mis la main sur le fameux dossier, relatif au procès canonique de 1885 opposant Joseph-Charles Taché et l'abbé Henri-Raymond Casgrain. Vraiment je tirais le gros lot, tout était là. On connaît ce que j'en ai fait, qui m'a valu ma réputation d'iconoclaste aux yeux de certains quidams...

L'été suivant, au temps où j'allais commencer à sévir au Département de français de l'Université d'Ottawa, j'avais passé une partie des vacances à rédiger mon mémoire sur l'illustre histoire des *Soirées canadiennes* et du *Foyer canadien*. En août, j'avais envoyé mon brouillon à mon patron de thèse Michel Dassonville, à Québec. Dans ce manuscrit, je faisais déjà une bonne moisson de ces petits bonheurs de découverte concernant, outre Casgrain et Taché, notamment un lot de papiers inédits d'Antoine Gérin-Lajoie, qui devaient, quelques années plus tard, intriguer et quelque peu décontenancer le bon Guy Sylvestre, alors bibliothécaire du Parlement, qui croyait détenir en exclusivité tous les papiers de l'auteur de *Jean Rivard* dans le fonds acquis Léon-Gérin.

Dans ma relation de l'affaire des *Soirées*, je mentionnais évidemment l'emprunt à Charles Nodier de la fameuse épigraphe: «Hâtons-nous de raconter les délicieuses histoires du peuple avant qu'il les ait oubliées». Je citais l'exergue de la revue sans plus, comme tout le monde, parce que je n'en connaissais pas davantage et que je ne m'en souciais pas le moindrement. Or mon cher mentor Dassonville, qui avait dûment épluché mon manuscrit, m'avait au crayon rouge, dans la marge à cet endroit, fait une sommation sans équivoque: «*Source de la citation chez Nodier?*» Remarque facile à noter, mais qui pouvait me lancer sur des pistes inconnues défiant tout calcul. Là encore ma chance m'a servi. Je travaillais à la faculté, dans un bureau au troisième étage du tout nouveau pavillon Simard; je prends donc l'ascenseur, déjà poussif à cette époque; sans grande conviction, je descends au sous-sol, où logeait modestement la bibliothèque générale encore très pauvre, et me rends jusqu'au rayon où s'alignaient tout de

même trois ou quatre petits volumes de type populaire des œuvres de Nodier. Le premier que je saisis
s'appelait: *Légende de Sœur Béatrix* et comportait
une espèce de préface de l'auteur. Eh bien, il ne m'a
pas fallu plus d'une minute pour tomber sur la fati-
dique phrase que je cherchais. Non seulement ma
source m'était ainsi donnée sans peine et, pour ainsi
dire, par accident, mais je pouvais vérifier que les
bonshommes des *Soirées* avaient changé un mot
(remplacé *écouter* par *raconter*) dans leur citation,
et qu'ils avaient aussi amputé la phrase, probablement au nom de la sainte pudeur. Le texte exact et
complet se lisait:

> Hâtons-nous d'écouter les délicieuses histoires du
> peuple avant qu'il les ait oubliées, avant qu'il en ait
> rougi, et que sa chaste poésie, honteuse d'être nue, se
> soit couverte d'un voile comme Ève exilée du paradis.

J'ai donc pu répondre à l'exigence de Dassonville, en
le laissant imaginer tout seul quelles avaient pu être
mes savantes recherches. Et depuis lors tous les
connaisseurs, à commencer par le grand Luc
Lacourcière, peuvent donner la source de la célèbre
épigraphe qu'ils n'ont pas eu besoin d'inventer...

À l'autre bout de mon aventureuse carrière, en
1990, quand je travaillais avec Paul Wyczynski à préparer l'édition critique des *Poésies complètes 1896-
1941* de Nelligan, j'ai comme toujours connu de ces
petits moments de grâce qui n'ont l'air de rien. Entre
autres, je me souviens par exemple que je ne me souciais pas outre mesure de donner une explication
«scientifique» au premier vers du poème «Le tombeau de Chopin»: «*Dors loin des faux baisers de la
Floriani*». Je me satisfaisais de croire que cette
perfide *diva* de circonstance pouvait n'être que le

simple produit de la fantaisie du jeune Nelligan: après tout, personne n'avait jamais glosé sur le nom de cette *Floriani*. Jusqu'au jour où parcourant pour mon plaisir le petit volume: *Chopin* de la série encyclopédique «Découvertes/Gallimard», paru peu avant, je découvre que George Sand avait en 1846 transposé et beaucoup caricaturé ses amours avec Chopin dans un roman à clé intitulé *Lucrezia Floriani*. J'ai pris la chose comme un autre beau présent des dieux. Ce détail avait donc un sens et me révélait un Nelligan, *drop out* de Syntaxe, moins potache qu'on ne croyait, pas du tout inculte, plus sérieux et doté d'une largeur d'information littéraire décidément peu commune dans son milieu banal...

Enfin, il y a peu, on pourrait presque dire dans l'actualité, j'ai eu la veine de dénicher comme par magie un texte étendu et certainement significatif, mais jusque-là ignoré, d'Arthur Buies. Voici comment les choses se sont passées. Quand on m'a chargé de présenter et d'expliquer à fond une édition en fac-similé des *Franges d'autel* de Louis Dantin, il a fallu traiter, bien sûr, de la réception du mythique petit recueil publié en 1900. Or dans l'unique vrai compte rendu, paru à l'époque dans la *Revue canadienne*, A[phonse] L[eclaire] trouvait moyen, après maints compliments bien mérités, de faire reproche à Eugène Seers-Serge Usène-[Louis Dantin] d'avoir inclus dans *Franges d'autel* le poème de Louis Fréchette: «La première nuit d'exposition dans la Nouvelle-France», repêché de *La Légende d'un Peuple*, laquelle était vieille d'une grosse douzaine d'années en 1900. Mais le litige portait sur autre chose que la pure inactualité du supposé chef-d'œuvre.

Il s'agissait en fait d'une pièce de 72 alexandrins à rimes plates, décrivant en style outrageusement épique l'arrivée «au désert fauve en sa splendeur austère», sur trois pirogues, de Maisonneuve et de ses compagnons, la célébration rustique, sur la berge, d'une première messe puis, surtout, la solennité rituelle d'une nuit d'adoration eucharistique marquant idéalement la naissance de Montréal. Le sujet du poème était en soi tout ce qu'il y a de plus édifiant, mais quand on y regardait de près, il était évident que les trouvailles imaginatives du poète n'étaient pas ce qu'on peut dire de tout repos. Le critique de la *Revue canadienne* n'entrait pas ici dans le détail, il se contentait de l'allusion ; il référait toutefois expressément à «la désopilante critique» qu'avait faite du grand poème dans *L'ÉVÉNEMENT* M. Arthur Buies. Qu'en était-il au juste ? il me fallait à tout prix connaître le texte de Buies. Mon repère était *L'ÉVÉNEMENT*, quotidien de Québec, mais dans quel numéro de quelle année ? J'ai d'abord pensé retrouver aisément pareil texte dans la masse d'écrits publiés *de* Buies ou *sur* Buies à notre époque, et j'ai même approché personnellement là-dessus les spécialistes reconnus en la matière. Peine perdue. Il fallait me résoudre, tâche ingrate, à dépouiller la collection de *L'ÉVÉNEMENT*, heureusement sur microfilms en notre Bibliothèque Morisset. *La Légende d'un Peuple* ayant été publiée à Paris en 1887, c'est naturellement depuis ce moment qu'il fallait conduire mon investigation; j'en avais alors pour un cheminement possible sur plus de douze années. Mais par je ne sais quel flair de paresseux, je décidai de procéder à l'inverse de la chronologie et je mis en premier sur la liseuse *ad hoc* la bobine de *L'ÉVÉNE-MENT* qui court depuis le 1er mars jusqu'au

30 novembre 1899. Et top! Dès le 2 mars (1899), qu'est-ce qui m'est donné? — La petite lettre d'un lecteur anonyme «en réponse à l'article de M. A. Buies, publié récemment dans *L'ÉVÉNEMENT*, au sujet de *La Légende d'un Peuple*». Tout de suite je savais que j'allais trouver «la désopilante critique», probablement à la fin de la bobine précédente du journal. Et c'est ce qui est advenu, autre beau cadeau du ciel: le samedi 18 février 1899, en page 5 de *L'ÉVÉ-NEMENT*, un long texte sur trois colonnes (la transcription dactylographique fait une bonne dizaine de pages), portant la signature d'A. Buies et sous le titre: «Les découvertes de l'analyse».

À partir d'une dissection vraiment vers par vers, c'est une charge à fond de train contre la pompe et surtout contre l'énorme niaiserie du poète adulé. Ce n'est certes pas l'article le plus subtil qu'ait commis Buies, l'analyse au mieux ne dépasse guère la paraphrase ironique, réduisant systématiquement tout à l'absurde. Mais l'humour misant à qui mieux mieux sur l'énormité, le critique s'en donne décidément à cœur joie, sans retenue. Il faut reconnaître que le grand Fréchette, lauréat pontifiant, ne l'avait pas volé. Qu'on en juge par le passage suivant qui arrive, on peut dire, au sommet du poème:

> *Et pendant que l'Hostie en sa châsse sacrée*
> *Illuminait l'autel de sa blancheur nacrée*
> *Un long Pange lingua s'élevait dans les airs*
> *Vers le Dieu des cités et le Dieu des déserts.*
> *Auprès du drapeau blanc, la sainte Eucharistie*
> *Resta là tout le jour.*
>
>   *La tête appesantie,*
> *— Quand le soleil tomba dans le couchant vermeil,*
> *Nos pieux voyageurs, accablés de sommeil,*

Songeaient, prière faite, à chercher sous la tente
Dans une nuit de paix douce et réconfortante,
Le repos bien gagné qui doit les prémunir
Contre le lourd fardeau des tâches à venir;
Quand, tout à coup, dans l'ombre éparse des ramées
Ils virent mille essaims de mouches enflammées,
Qui, croisant à l'envi leur radieux essor,
Comme un jaillissement de gouttelettes d'or,
Ou plutôt comme un flot de flammèches vivantes,
Rayaient l'obscurité de leurs lueurs mouvantes.

Alors chacun se met en chasse; l'on poursuit
Tous ces points lumineux voltigeant dans la nuit.
Puis, liant à des fils les blondes lucioles,
On en fait des réseaux, flottantes auréoles,
Qu'on suspend sur l'autel en festons étoilés.

«Quand on a des idées comme celle-là, déclare
«Buies, il est temps qu'on soit attaché soi-même.
«[...] Ô *spectacle idéal!* Oui, à coup sûr, c'est idéal
«d'attacher ensemble des mouches-à-feu. Sans
«doute quelque mauvais plaisant aura raconté
«cette farce à l'auteur qui l'aura prise au sérieux
«et qui, là-dessus, se sera mis à rimer des vers en
«*oles*; ô *blondes lucioles*, c'est vous qui faites les
«frais de cette *genèse sublime*.»

Le lecteur pourra juger pour lui-même de la
veine satirique corrosive de Buies, dont je reproduis
in extenso le texte en appendice. J'ai voulu attirer
l'attention sur cette satire, parce qu'elle est encore
quasi inédite et, pour ainsi dire, inconnue. Je la mets
par la présente dans le domaine public. Nos petits
bonheurs exclusifs nous échappent aussi vite qu'ils
nous viennent. Ainsi vont nos trouvailles, devenues
anonymes aussitôt qu'authentifiées. Prends-en de
bon cœur ton parti, mon cher Roger Le Moine, désormais dans le camp retranché des retraités...

APPENDICE

Arthur Buies, «**Les découvertes de l'analyse**», dans *L'ÉVÉNEMENT*, samedi 18 février 1899, p. 5[1].

Il y a quelques jours, un de mes amis, mauvais plaisant à qui je ne pardonnerai jamais de m'avoir joué le tour qu'on va voir, m'apportait une pièce de vers transcrite à la machine Underwood, la plus admirable machine à écrire qui existe, en me disant que cette pièce était tout simplement une «magnifique poésie que tout le monde devrait avoir à cœur d'apprendre et qui ferait grand honneur à notre pays», suivant les termes mêmes dans lesquels était conçu un avertissement placé en tête de plusieurs journaux de Montréal qui avaient publié ce morceau superbe.

Mon ami me déclarait en outre qu'on faisait apprendre cette «magnifique poésie» aux élèves du cours d'élocution du Monument National, en la leur donnant, cela va de soi, comme un modèle de style. Quoique je sois depuis longtemps fixé sur la valeur des «magnifiques poésies» que le hasard met sous mes yeux, on comprendra que, cette fois, ma curiosité dût être particulièrement piquée, et par la démarche que mon ami avait pris la peine de faire et par le préambule dont il l'accompagnait. J'ouvris

---

1. Note sur la transcription: *L'ÉVÉNEMENT* imprime tout le texte en romain. Les citations de Fréchette y sont toujours signalées par des guillemets. J'ai préféré plutôt les transcrire en italique et, quand les mots ou les vers sont intégrés aux phrases de Buies, sans guillemets. R.R.

donc presque en tremblant et avec une émotion réelle les pages qui m'étaient apportées: je sentais que j'étais en présence d'un chef-d'œuvre et que j'allais savourer en quelques minutes d'ineffables jouissances. Je ne me trompais pas: les chefs-d'œuvre, cela se devine; il y a en eux comme un magnétisme divin auquel nul ne peut se soustraire et qui remplit l'âme frémissante, même avant de paraître sous les yeux.

J'ouvris donc ces pages merveilleuses, qui ne portaient pas de signature, mon ami ayant voulu avoir de ma part une appréciation absolument indépendante, dégagée de toutes les préventions, favorables ou défavorables, que j'aurais pu nourrir, même à mon insu.

En effet, c'était bien un chef-d'œuvre, comme on va le voir, et je ne puis résister à l'honneur de m'en entretenir avec tous les lecteurs canadiens possible, parce que je ne puis contenir l'extase qui déborde dans mon sein et qu'il me faut absolument faire partager une admiration qui m'étouffe.

La « magnifique poésie que tout le monde devrait apprendre» avait pour titre: «La première nuit d'exposition dans la Nouvelle-France». Je m'arrêtai pantelant dès le titre, tant je trouvai cela beau: une première nuit d'exposition!... Comme «tout le monde devrait apprendre» ce que c'est qu'une première nuit d'exposition, car, à coup sûr, personne ne le sait. Mais ne nous attardons pas, nous sommes en présence de soixante-dix vers qui renferment presque tous une source intarissable de jubilation, et soixante-dix vers d'un chef-d'œuvre ne se lisent pas sans commentaires, et sans provoquer toutes sortes d'éjaculations admiratrices qui finissent par remplir plusieurs colonnes d'un journal. Essayons d'être sobre:

> «*C'était le désert fauve en sa splendeur austère;*
>
> «*Rien n'animait encor le vierge coin de terre*
>
> «*Où Montréal devait plus tard dresser ses tours.*»

Ce début n'est pas seulement pompeux et solennel, on comprend qu'il annonce de grandes choses qui vont se produire et qu'il doit être en harmonie avec ce qui va suivre, eh bien! non, c'est tout le contraire; rien ne fait moins prévoir la fin que ce commencement; il y a là un véritable tour de force imaginé pour donner la nature de ce qu'on peut faire dans un chef-d'œuvre.

Mais déjà j'étais fixé et sur l'auteur et sur la pièce. Celui qui sait écrire ne débute jamais avec cette pompe et cette sérénité qui décèlent l'emphase, le vide, l'habitude de chercher à en faire accroire et une suffisance sans bornes. Néanmoins, je voulus aller jusqu'au bout pour satisfaire mon ami, qui est devenu aujourd'hui le public.

> «*En aval du courant,...*»

Expression peu poétique employée par l'auteur pour faire voir comme on peut tomber à plat, subitement, après un grandiose début. Autre tour de force sublime.

> «*En aval du courant, en suivant les détours*»

Montréal devait avoir des *tours*, un jour, pour fournir une rime à *détours*, car, autrement, il n'y a pas plus de raison de parler de *tours* que de murs ou de caves.

> «*Qui creusent çà et là les rives ombragées*»

Des *détours* qui *creusent des rives*? En allant de l'autre côté du fleuve, est-ce qu'on ne trouverait pas en revanche des rives qui creusent des détours?

> *«Sous les feux du midi trois pirogues chargées,*
> *«Près de l'endroit nommé depuis Pied-du-Courant,»*

Rien n'égale la poésie de ce dernier vers.

> *«Ensemble remontaient les eaux du Saint-Laurent.*
> *«Qui côtoyait ainsi les côtes du grand fleuve?»*

Voilà une interrogation qui éclate comme un coup de foudre. Il y avait *trois pirogues*, mais qui, qui *côtoyait ainsi les côtes du grand fleuve?* le voilà!

> *«C'était le fondateur»*

Fondateur de quoi? En général on n'est pas *fondateur* avant d'avoir fondé, et Maisonneuve n'avait pas même encore abordé au *désert fauve*.

> *«C'était le fondateur, c'était de Maisonneuve,*
> *«Avec de Montmagny, le courageux soldat,*
> *«Vimont, l'apôtre saint, fier d'un double mandat,»*

Il n'a pas encore été question d'un seul *mandat*, et voilà que *Vimont* apparaît avec deux! Comme on a eu bien raison d'abolir le double mandat en 1872! Si on l'abolissait dans les vers, ça soulagerait bien du monde et en particulier Vimont qui doit se trouver bien embarrassé de deux mandats dans un seul vers.

> *«Et comme pour dorer cette ère qui commence,»*

Quelle *ère*? où voit-on qu'il y a une *ère* là-dedans? Ce n'est pas une *ère* que d'arriver dans *trois pirogues* à *l'endroit* appelé *Pied-du-Courant*. Et puis *dorer une ère qui commence*! Attendez donc au moins qu'elle finisse pour y mettre de la dorure. Quel gaspillage!

Ce n'est pas le gouvernement Marchand qui aurait fait un coup pareil.

«Deux femmes, deux grands cœurs, de la Peltrie et
Mance,»

Heureusement qu'il n'y en a que deux, parce que, lancé une fois dans une énumération aussi poétique, on est obligé de se rendre jusqu'au *désert fauve* de Jupiter.

«Deux âmes à l'affût de tous les dévouements.»

Voyez-vous des *âmes à l'affût* des *dévouements*? Quelles chasseresses tu nous amènes, ô *fondateur*!

«Ils sont accompagnés de laboureurs normands,»

C'est Sulte qui va être content de ce vers-là, lui qui ne veut pas que les Canadiens, et notamment les Trifluviens, soient faits avec autre chose qu'avec des *normands*.

«De matelots bretons, fiers enfants de la Gaule,»

Fiers enfants de ceci, *fiers enfants de* cela, ce sont là clichés prudhommesques tellement usés qu'on ne s'en sert plus, même en prose de candidat perpétuel. Tout au plus si un clerc-avocat de première année, qu'on envoie pérorer sur les hustings en temps d'élection, oserait les employer en parlant de nos pères, ces *fiers enfants de* nos grands-pères.

«Travailleurs qui devront, le mousquet sur l'épaule,
«Le poing à la charrue ou la hache à la main,
«S'ouvrir au nouveau monde un si large chemin.»

Comment! Mais voilà trois vers qui sont presque passables!

«Sur le calme des eaux une voix nous arrive;»

À *nous*, qui *nous*? On n'a encore vu que le *désert fauve* sur les côtes *du grand fleuve*, et il n'y a pas de *nous* dans les *déserts fauves*.

«C'est un cantique saint qu'aux échos de la rive,
«Dans l'éclat radieux d'un soleil flamboyant,»

Parlez-nous au moins d'un *éclat* qui est *radieux* et d'un *soleil* qui est *flamboyant*. Comme le poète a dû suer pour trouver des épithètes aussi éminemment caractéristiques!

«La petite flottille envoie en pagayant.»

Connaissez-vous des *flottilles* qui pagayent? Jusqu'à présent cette opération délicate était réservée aux avironneurs ou aux canotiers mais puisque les *flottilles* s'en mêlent, il va falloir débarquer. Pas de chance, les canayens, même à l'ère qui commence.

Quelle belle gymnastique que cet *envoie en pagayant*! C'étaient de *fiers enfants*... de la Bretagne, ces Bretons-là.

«Halte! a crié quelqu'un...»

Encore un coup de foudre. Il a envie de nous exterminer, l'auteur de la magnifique poésie. Je ne savais pas que *quelqu'un*, mot particulièrement banal, pût produire un pareil effet, planté comme il l'est tout à coup dans une poésie aussi pompeuse.

«Et bientôt, sur la berge,
«Nos voyageurs lassés dressent leur campement.»

Comme cela, tout de suite, sans avoir pris la peine seulement de débarquer.

«Puis ensemble, à genoux, dans le recueillement,
«Rappelant au Très-Haut sa divine promesse,
«Naïfs ou fiers chrétiens vont entendre la messe
«Au pied d'un tabernacle à la hâte élevé.»

Tu es parmi ces *naïfs*, toi, ô poète!

«Vous êtes, dit le prêtre, un grain de sénevé»

Quel *prêtre*? L'avez-vous vu, *le prêtre*? Ce qui est avant tout remarquable dans cette «magnifique poésie», c'est l'imprévu: les personnages vous arrivent, sans être annoncés, sans qu'on se doute même qu'ils existent.

«Que Dieu jette aujourd'hui dans la glèbe féconde;
«La plante qui va naître étonnera le monde.»

Je doute fort que *le prêtre* ait dit cela; il ne pouvait pas en savoir si long d'avance. Ces humbles pionniers de la colonisation française en Amérique n'avaient pas du tout l'idée d'étonner le monde et se seraient bien gardé de l'avoir. Tout au plus pensaient-ils à convertir les sauvages et à planter le drapeau de la France dans les fauves déserts.

Car en ce lieu, c'est de la poésie de marmiton, ne l'oubliez pas.

«Les instruments choisis du grand œuvre de Dieu.»

Non, non, ils ne se croyaient pas si *choisis* que cela.

«Et pendant que l'Hostie, en sa châsse sacrée,»

Hostie, avec un grand *H*, décèle tout de suite une orthodoxie de païen qui ne voit pas qu'il n'est pas nécessaire de faire tant de frais pour en faire croire aux *naïfs chrétiens*.

«Illuminait l'autel de sa blancheur nacrée,»

Pourquoi pas *autel* avec un grand *A*?

«Un long Pange Lingua s'élevait dans les airs»

Quelle est la longueur exacte du *Pange Lingua*? Y en a-t-il un court? Un moyen?

«Vers le Dieu des cités et le Dieu des déserts.»

Est-ce que *Dieu*, lui aussi, aurait le *double mandat*? Qu'importe! *Dieu des déserts* est admirablement imaginé pour fournir une rime à *airs*. Si le vers précédent s'était terminé par *chauves*, au lieu d'*airs*, le suivant aurait fini, avec énormément de pittoresque, par *le Dieu des déserts fauves.*

«Auprès du drapeau blanc la sainte Eucharistie,»

C'est un nouveau converti, c'est clair, l'auteur de la «magnifique poésie», il veut à tout prix détrôner Lefranc de Pompignan.

«Resta là tout le jour.»

Admirable hémistiche, d'une poésie expressive, qui pourrait convenir à un train obligé de stationner à la gare.

«La tête appesantie,
«Quand le soleil tomba dans le couchant vermeil,
Nos pieux voyageurs, accablés de sommeil,
Songeaient, prière faite, à chercher sous la tente,
«Dans une nuit de paix, douce et réconfortante,
«Le repos bien gagné qui doit les prémunir
«Contre le lourd fardeau des tâches à venir;»

Flot de banalités et d'insignifiances qu'on ne pourrait tolérer que si elles étaient dites avec une certaine grâce, et non pas avec la lourdeur d'un ours essayant de faire de la peinture avec un manche à balai.

Et que pensez-vous de ce *repos bien gagné* qui doit *prémunir contre le lourd fardeau des tâches à venir?* Ç'a dû être un rude sommeil que celui de cette nuit-là!

D'autre part, je n'ai jamais vu *le soleil tomber dans le couchant vermeil*; je l'ai vu décliner, je l'ai vu descendre, et bien d'autres, dont j'invoque le témoignage, l'ont vu également, mais ni moi ni d'autres n'avons jamais vu *le soleil tomber dans le couchant* plus ou moins *vermeil. Le soleil* n'est pas un clochard, que diable! ni un aérolithe. Il se couche en monsieur et prend le temps de se déshabiller.

> *«Quand, tout à coup, dans l'ombre épaisse des ramées,»*

Dieu du ciel! Que va-t-il arriver?

> *«Ils virent mille essaims de mouches enflammées*
> *«Qui, croisant à l'envi leur radieux essor,*
> *«Comme un jaillissement de gouttelettes d'or,*
> *«Ou plutôt, comme un flot de flammèches vivantes,*
> *«Rayaient l'obscurité de leurs lueurs mouvantes.*

> *«Alors chacun se met en chasse* (oh!), *l'on poursuit*
> *«Tous ces points lumineux voltigeant dans la nuit.*
> *«Puis liant à des fils les blondes lucioles,*
> *«On en fait des réseaux, flottantes auréoles,*
> *«Qu'on suspend sur l'autel, en festons étoilés.»*

Je ne sais pas pourquoi, mais une idée s'empare de moi irrésistiblement, c'est que l'auteur du vers *Alors chacun se met en chasse, l'on poursuit*, n'est pas le même que celui qui a fait les vers qui précèdent et qui suivent celui-là. Ces vers ont dû être pris ailleurs et transportés dans la «magnifique poésie», sans que l'auteur de la transposition se rende compte de l'évidence de ce petit manège qui saute aux yeux. En effet, quand on lit le vers *Alors chacun se met en chasse...*, on sent qu'il est de l'auteur de tout le reste de la pièce, mais on éprouve des doutes violents en lisant les vers qui précèdent et ceux qui suivent, qui malgré leur futilité, habillent encore trop bien la plus ridicule et la plus insensée conception, celle d'atta-cher ensemble des mouches-à-feu pour en faire des festons décoratifs.

Quand on a des idées comme celle-là, il est temps qu'on soit attaché soi-même.

> «*Quelques instants plus tard, dans les bivouacs voilés*
> «*Par les grands pins versant leurs ombres fraternelles,*
> «*Après avoir partout placé des sentinelles,*
> «*Près du fleuve roulant son flot silencieux,*
> «*La troupe s'endormit sous les regards des cieux.*»

Comment! on vient d'aborder à un *désert fauve* où il n'y a pas âme qui vive, si ce n'est des blondes lucioles, et il faut mettre *partout des sentinelles*! Mais si vous mettez *des sentinelles partout* comme cela, il ne restera pas grand monde pour dormir, même *sous les regards des cieux*, autre expression extrêmement originale qui, heureusement, sert encore ici à faire la moitié d'un vers.

Victor Hugo a bien dit dans la pièce intitulée «L'Enfant du crime»:

> «Lorsqu'un pauvre petit naît au sein des chaumières,
> «*Sous un regard des cieux* plein de lumières etc.»

Mais ce regard est pâle, en comparaison de celui que les cieux jettent sur les compagnons de Maisonneuve qui viennent d'accomplir de si singulières choses.

Puis viennent une demi-douzaine de vers pleins de «réminiscences» qu'on pourrait retracer sans grand'peine, mais cela n'est pas nécessaire, et l'auteur termine sa «magnifique poésie que tout le monde devrait apprendre», par cette apostrophe:

> «*O genèse sublime! O spectacle idéal!*
> «*Ce fut cette nuit-là que naquit Montréal.*»

Il n'est pas aisé de découvrir une *genèse sublime* dans le fait d'aborder avec trois pirogues à un désert fauve, d'attraper des mouches-à-feu, de les attacher ensemble pour faire des festons décoratifs, et de placer *partout* des sentinelles, afin de pouvoir dormir sous les regards des cieux.

Ô *spectacle idéal!* Oui, à coup sûr, c'est *idéal* d'attacher ensemble des mouches-à-feu. Sans doute quelque mauvais plaisant aura raconté cette farce à l'auteur qui l'aura prise au sérieux et qui, là-dessus, se sera mis à rimer des vers en *oles; ô blondes lucioles*, c'est vous qui faites les frais de cette *genèse sublime.*

«*Ce fut cette nuit-là que naquit Montréal.*»

Ah! par exemple, il ne s'agit plus ici de mouches-à-feu, mouvantes *auréoles*, mais d'histoire, et pour faire naître Montréal de cette façon-là, la nuit, il faut être aveuglé par l'éclat des *lucioles* ou en avoir en quantité dans le plafond. Amen.

Et voilà ce qu'on donne en plein cours d'élocution, au monument national de la métropole canadienne, comme modèle de poésie!

Notre pauvre jeunesse, espoir de la patrie, fiers enfants de leurs pères, elle n'a donc pas encore assez de causes d'abrutissement pour qu'on en invente de nouvelles, sous des mots trompeurs, et cela dans le seul but de consacrer les réputations littéraires les plus odieusement, les plus grossièrement usurpées, et maintenues par de grotesques et incessantes réclames, dignes des montreurs d'animaux rares ou curieux.

«Mesdames et Messieurs», venez voir le Boombatoum, le chameau sans rival du désert fauve de la Lybie, le chameau par excellence, possédant les dons universels, capable de tout faire, pouvant porter un âne entre ses deux bosses, fort comme un hippopotame, doué de narines qui lui permettent d'aspirer pendant des journées entières, sans en être incommodé, au contraire, un encens extrait des excréments d'autruche pétris dans l'huile de pingouin, à l'usage particulier des dromadaires sans pareils!!! etc., etc.

Je n'ai pas fini d'inventorier, d'analyser et de disséquer; il y a des centaines de poésies comme celle des lucioles, qui passent pour des beautés littéraires dans notre pays. Et l'étranger instruit qui voit ces choses, se dit naturellement: «Puisque ceux qui pondent ces morceaux-là portent le nom de poètes, qu'est-ce donc que le reste de la population? Un lot de crétins.»

ARTHUR BUIES

N.B. — La «magnifique poésie» qu'on vient de lire et que tout le monde devrait avoir à cœur d'apprendre, est tirée du tombeau où gît, dans une nuit profonde, la «Légende d'un Peuple» de Louis Fréchette.

Les ambiguïtés de la biographie
Réflexions sur un genre
en hommage à un biographe

ROBERT MAJOR
Université d'Ottawa

En guise de salut amical à Roger Le Moine, historien de la littérature et biographe, je voudrais me
livrer à quelques réflexions théoriques sur le genre
biographique. Je ne sais si, à l'instar de certains, il
voit rouge à la mention du mot «théorie». Je ne le
crois pas. Toute pratique critique se fonde sur une
approche théorique, avouée ou non, explicite ou
immanente, réfléchie ou naïve. En somme, à l'exemple de monsieur Jourdain, nous faisons tous de la
théorie comme nous faisons de la prose. Certains ne
le savent pas, tout simplement, et pratiquent allègre-
ment un amalgame où personne ne trouve son
compte.

Pour sa part, Roger Le Moine le sait. Et non seulement parce qu'il a fréquenté de nombreux théoriciens, tout particulièrement les psychocritiques et
les sociocritiques, encore qu'il ne l'avouerait sans
doute pas volontiers et qu'il se garde bien de se dra-
per ostensiblement dans leurs oripeaux. Il le sait surtout parce qu'il est à même de mesurer la distance
entre son mémoire de diplôme d'études supérieures,
qui est devenu son premier livre sur Joseph
Marmette, et ses travaux biographiques plus récents,

sur Laure Conan, Luc Lacourcière, sir James McPherson Le Moine, Félix-Antoine Savard.

Les premiers travaux, sur Marmette, mais sur Napoléon Bourassa également, s'inscrivaient tout naturellement dans une tradition lansonienne qui avait fait ses preuves en donnant de grands travaux d'érudition. On oublie trop commodément — ou du moins les «nouveaux critiques» des années soixante l'oubliaient trop facilement — que cette pratique de l'histoire littéraire, visant l'objectivité, l'impassibilité, la rigueur méthodologique, le recours au document historique bien établi, l'interprétation fondée sur des «faits» historiques, avait elle-même été élaborée en réaction à une critique impressionniste faisant la part trop belle à la partisannerie religieuse ou politique ou aux fantaisies gustatives d'un esprit lettré. Les historiens de l'Université Laval, les maîtres de Roger Le Moine, n'avaient cure de l'impressionnisme littéraire: ils exigeaient de la rigueur.

Mais dans le domaine de la biographie, qu'est-ce que la «rigueur»? Sartre posait la question au début de son Flaubert: «Que peut-on savoir d'un homme aujourd'hui?» Même si on accumule tous les documents existants sur une personne, à partir de son journal intime jusqu'à la dernière facture d'entretien de sa voiture poussive, en passant par sa correspondance complète et son carnet de rendez-vous intimes, est-on plus près de la réalité de cet être, du mystère de son destin? Même si un fonds d'archives nous présente cette mine de renseignements, celle-ci, comme toute mine, reste à exploiter et contient plus de gangue, de déchets et de scories éventuelles que de minerai. Le plus important reste à faire: comprendre, interpréter, et surtout en faire le récit. C'est ici qu'intervient le biographe, avec sa propre histoire, sa finesse, sa culture, sa capacité d'analyse et de synthèse. Je crois avoir entendu Roger Le Moine lui-même citer le commentaire que faisait Valéry lors d'une conférence prononcée devant des philosophes pour souligner, en 1937, le tricentenaire du *Discours de la méthode*:

> Je n'oserai vous dire qu'il y a une infinité de Descartes possibles; mais vous savez mieux que moi qu'il s'en compte plus d'un, tous fort bien attestés, textes en main, et curieusement différents les uns des autres[1].

Que fait au juste le biographe? Il examine, il soupèse, il classe, il ordonne. Mais cela ne suffit guère. Ces faits individuels doivent être insérés dans des ensembles plus larges: constantes culturelles, événements historiques, conflits idéologiques, courants d'idées, qui sont du ressort du sociologue, de l'historien, de l'anthropologue. Le biographe doit aussi être un médecin des âmes, apte à saisir et à comprendre le comportement humain, l'individu dans ses tensions, ses conflits, ses ambiguïtés, ses contradictions. On exige donc du biographe la culture de l'érudit, la rigueur du scientifique, la finesse du psychologue. Voilà bien des talents à conjuguer, bien des disciplines à maîtriser. Mais le plus important reste à faire, car il ne suffit pas de saisir et de comprendre. Encore faut-il pouvoir raconter tout cela et donc disposer des qualités narratives du conteur et du romancier: organiser le récit, structurer la temporalité, mettre en place les *dramatis personae* de cette aventure humaine, rendre intéressant.

---

1. Paul Valéry, *Œuvres*, Paris, Gallimard, «Bibliothèque de la Pléiade», vol. 1, p. 794.

Cette nécessité d'assortir des talents *a priori* contradictoires ou du moins difficilement conciliables serait de nature à décourager Sisyphe. Et pourtant, nombreux sont les biographes. On se demande bien pourquoi, car à côté d'un indéniable succès populaire se déploie une véritable déconsidération savante. D'excellents critiques littéraires (je pense à François Ricard sur Gabrielle Roy, je pense à Henri Mitterand, tout récemment, sur Zola), de grands historiens se consacrent à des biographies, mais toujours avec un malaise évident, toujours avec la sourde conscience de déchoir quelque peu. Cette activité leur est en quelque sorte honteuse: elle déroge aux exigences de leur science.

Effectivement, la biographie littéraire occupe une place ambiguë au sein des études littéraires, d'une part, et au sein de la production littéraire, d'autre part. La biographie est-elle travail historique ou œuvre littéraire? Est-elle discours critique ou production essayistique? L'une ou l'autre question soulève d'intenses débats. La biographie, on le sait, fut d'abord au centre même du discours critique. Être spécialiste de la littérature, au milieu du XIXe siècle, c'est-à-dire au moment où la critique littéraire se constitue en discipline distincte, c'est d'abord être un érudit, pouvoir parler savamment du contexte et des abords de l'œuvre: contexte historique, social, culturel, sources de l'inspiration, influences subies par l'écrivain, faits marquants de sa vie et éléments essentiels de sa personnalité, tics révélateurs, anecdotes significatives, etc. Cette vision de la biographie littéraire, dont les racines plongent dans l'Antiquité gréco-romaine, fut portée à un certain point d'achèvement par deux critiques différents mais complémentaires du XIXe siècle, Sainte-Beuve et Taine. L'un et l'autre croyaient bien pratiquer une science de la littérature. Par ailleurs, dès le début du XXe siècle, la biographie littéraire a été sévèrement critiquée par des écrivains majeurs tels que Proust et Valéry, qui lui contestèrent toute pertinence et lui refusèrent même toute capacité d'informer sur le sens du texte. La biographie ne faisait que le tour du texte, elle se contentait de ses abords: une méthode de l'*encerclement*, en somme, inapte à *pénétrer* l'œuvre.

> Ce qu'il y a de plus important, disait Valéry, — l'acte même des Muses — est indépendant des aventures, du genre de vie, des incidents, et de tout ce qui peut figurer dans une biographie. Tout ce que l'histoire peut observer est insignifiant[2].

Et le même: «Il ne faut jamais conclure de l'œuvre à un homme, mais de l'œuvre à un masque, et du masque à la machine[3]». Cette disqualification fut abondamment reprise par les théoriciens de la nouvelle critique, au cours des années soixante. La *machine textuelle*, voilà quel était l'objet de la critique littéraire. On ne pouvait rien induire de la biographie. N'existait que le *Texte*, à saisir dans sa réalité et son fonctionnement, *système de signes* dont il fallait démonter les *structures*, car cet objet textuel était un monde autosuffisant de *fonctions* qui se définissaient par leurs rapports réciproques. Texte, signes, structures, fonctions: maîtres-mots d'une génération. Rien d'autre n'existait. Ou, plutôt, tout le restant n'était que dilettantisme, dépourvu de

---

2. Paul Valéry, *Variété I*, Paris, Gallimard, 1924, p. 75.

3. Paul Valéry, *Œuvres*, Paris, Gallimard, «Bibliothèque de la Pléiade», vol. 2, p. 581.

scientificité. La mort de la biographie, corollaire de la mort de l'Auteur, fut un dogme critique des années soixante et soixante-dix.

Annonces prématurées. «Les annonces de ma mort sont grandement exagérées», pourrait dire la biographie, à l'exemple de Mark Twain. Il n'y a jamais eu décès, à peine éclipse. D'ailleurs, ces débats théoriques ont un caractère spécifiquement français, c'est-à-dire parisien parvenu (ou revenu). Les Anglo-Saxons, pendant ce temps, fidèles à leurs traditions critiques et à l'héritage de Johnson et de Boswell, ne délaissèrent jamais la biographie et se permirent même de signer quelques-unes des meilleures biographies d'auteurs français. Puis, le vent se mit à tourner. Surprise: la moribonde était plus vigoureuse que prévu, même en France. On ne dispose pas aussi facilement d'un genre plusieurs fois millénaire. Et depuis quelques années, on constate un retour en force de la biographie.

Certains parlent même de *morbus biographicus* infectant le corps littéraire et d'une véritable *libido biographica* insatiable du public. Trois biographies de Gide en un an, cinq de Jean Moulin, deux de la comtesse de Ségur... Et chaque année ou presque nous offre un de Gaulle ou un Napoléon. Le Québec n'échappe pas à l'épidémie (s'il s'agit vraiment d'un *morbus biographicus*)! Les biographies littéraires se multiplient. Je ne parle pas des Céline Dion et autres Paul Desmarais qui prolifèrent. Plutôt des deux Ferron, des deux Saint-Denys Garneau, des biographies de Philippe Aubert de Gaspé, de Louis-Antoine Dessaules, de Gabrielle Roy, d'Errol Bouchette. Jetant un regard amusé sur ce phénomène, Roger Le Moine a dû avoir plusieurs fois l'occasion de se

104

dire: «Publiant mon *Marmette* en 1968, — qu'on y pense, *Joseph Marmette, sa vie, son œuvre*, en pleine ferveur néo-critique! — j'étais sérieusement en retard sur mon époque. À force d'être en retard, je me suis retrouvé à l'avant-garde.» Je me permets ces paroles apocryphes, tout en sachant que la question des modes littéraires est le dernier des soucis de notre homme. Quoi qu'il en soit de la pratique critique de Roger Le Moine, constatons néanmoins que le phénomène des retours de pendule n'est pas inusité dans ces secteurs d'activité, comme la critique littéraire, qui sont fortement marqués par la mode!

Cette renaissance des études biographiques commande l'attention et soulève un certain nombre de questions, aptes à intéresser le théoricien de l'essai et le critique littéraire. D'ailleurs, on l'aura remarqué, je ne fais que soulever des questions depuis le début. Ce n'est pas que je sois avare de réponses. C'est au contraire que les réponses sont innombrables et qu'on hésite à en privilégier l'une plutôt que l'autre. Chaque affirmation sur la biographie en soulève une multitude. L'affirmation la plus neutre: «la biographie est le récit d'une vie» (ce qui n'est, après tout, que le sens étymologique du mot: bio-graphie), provoque immédiatement la question: «Oui, mais de quelle vie?» Proust ne posait pas une autre question que celle-là dans son *Contre Sainte-Beuve*:

> cette méthode, qui consiste à ne pas séparer l'homme et l'œuvre, à considérer qu'il n'est pas indifférent pour juger l'auteur d'un livre [...] d'avoir d'abord répondu aux questions qui paraissent les plus étrangères à son œuvre (comment se comportait-il, etc.), à s'entourer de tous les renseignements possibles sur un écrivain, à

collationner ses correspondances, à interroger les hommes qui l'ont connu, en causant avec eux s'ils vivent encore, en lisant ce qu'ils ont pu écrire sur lui s'ils sont morts, cette méthode méconnaît ce qu'une fréquentation un peu profonde avec nous-même nous apprend: qu'un livre est le produit d'un autre moi que celui que nous manifestons dans nos habitudes, dans la société, dans nos vices[4].

Biographie, «écriture d'une vie», certes. Mais quel est le *moi* de l'écrivain qu'on veut cerner?

D'ailleurs, écrire une vie suppose d'abord qu'on puisse définir ce qu'est une vie humaine. Le biologiste, le médecin, le philosophe, le législateur, le partisan de l'avortement nous offrent une riche diversité de réponses, «toutes bien attestées, textes en main, mais fort différentes les unes des autres» pourrions-nous dire pour pasticher Valéry. Et que dire du conflit entre biographes de tendances opposées? Par exemple, on écarte dédaigneusement du revers de la main les biographies médiévales, en les appelant hagiographies, parce qu'elles donnaient une place de choix à la spiritualité (vie intérieure, abnégations, mortifications), aux interventions divines, à la vie après la mort (miracles accomplis), cette dernière, dans l'esprit du croyant, étant de toute façon la vraie vie, venant après le fugitif passage dans la vallée de larmes qu'est la vie terrestre. L'hagiographie, en somme, accordait préséance à tout ce qui est surnaturel, et au destin de l'âme immortelle. Cette vision n'a plus cours, sauf dans des milieux restreints. Mais notre époque, qui accorde une importance écrasante à l'inconscient, aux pul-

---

4. Marcel Proust, *Contre Sainte-Beuve*, Paris, Gallimard (coll. «Idées»), 1957, p. 157.

sions (surtout érotiques), au secret et au refoulé, au rôle déterminant de l'enfance, aux forces qui nous habitent sans même que nous le sachions, présente-t-elle une image plus complète d'une vie humaine? Du surnaturel ou de l'irrationnel, lequel est préférable? De la vie des saints ou de la vie des vedettes de l'heure, lesquelles importent davantage?

Ainsi, de quelque côté qu'on se tourne, le cortège de questions surgit. La *théorie*, toujours, mais cette fois au sens premier du mot grec: la *theôria*, la procession, le défilé. Puisqu'il n'est pas question de soulever toutes les questions du cortège, je peux me permettre d'être arbitraire impunément. Je coupe donc le défilé et je choisis au passage trois questions qui m'intéressent particulièrement. La biographie est-elle de la province de l'essai? La biographie est-elle une forme légitime de critique littéraire? À quoi sert, au juste, une biographie? Les mêmes contraintes de temps et d'espace me permettront, tout aussi impunément, de répondre sommairement.

À première vue, tout semble séparer la biographie de l'essai littéraire. La biographie est un récit, repose sur la reconstruction narrative, utilise souvent des procédés romanesques (personnages, intrigues), se pose les mêmes questions narratives (point de vue, tempo, durée, etc.) que le récit. De fait, la biographie semble se rapprocher davantage du roman que de l'essai. Une indication sérieuse de cette parenté profonde serait que, par un renversement révélateur, la structure biographique est devenue une des formes privilégiées du roman: récit de vie, tranche de vie, *bildungsroman*, ou autre.

Par ailleurs, il est indéniable, également, que la biographie obéit à une double «polarité esthétique»: à côté de «l'emprise du roman», s'impose le «retour de l'essai[5]». La vie d'une personne est étroitement liée à la réflexion essayistique. Cela est vrai de l'autobiographie, qui est d'ailleurs au cœur même de l'essai et préside à la naissance du genre. «Je suis moi-même la matière de mon livre», disait Montaigne. Ce qui portait Hugo Friedrich à croire que Montaigne «ne trouve digne de sa pensée qu'une idée chevillée aux fibres de son cœur[6]»; la vérité, pour Montaigne, est toujours liée à sa personne. Essai et autobiographie sont inséparables: l'essai, c'est toujours une personne, une subjectivité qui s'essaie dans la réflexion, qui met ses idées au banc d'essai, qui les juge à sa seule aune[7].

Le lien entre essai et biographie est moins intense que celui entre essai et autobiographie, mais il est réel, néanmoins. Tout lecteur de biographie est à même de constater que le récit chronologique d'une vie est entremêlé, voire souvent occulté, quelquefois subsumé par des préoccupations d'essayiste. Et non seulement parce que la biographie est entrecoupée d'éléments qui interrompent le flux narratif et qui sont autant de petits essais: le tableau d'une époque, la saisie d'un mouvement littéraire, la description d'une institution, l'élaboration, à l'aide des sciences humaines, et en particulier de la

---

5. Ces «polarités esthétiques» sont l'objet d'un chapitre dans le livre essentiel de Daniel Madelénat, *La biographie*, Paris, Presses universitaires de France, 1984.

6. Hugo Friedrich, *Montaigne*, Paris, Gallimard, p. 356.

7. Voir, à ce sujet, les réflexions fondamentales de Robert Vigneault dans *L'écriture de l'essai*, Montréal, L'Hexagone, 1992.

psychologie et de la sociologie, de divers portraits significatifs.

Il y a davantage et plus profond. Le biographe, tout autant que l'essayiste, veut passer de l'apparence à une essence, d'une surface à une profondeur, découvrir, sous les hasards de la diachronie et la banalité de l'anecdotique, les structures typiques et le sens d'un parcours. Ou, pour reprendre l'opposition fondamentale dressée jadis par Lukács, le biographe veut atteindre, par l'analyse d'une *vie*, l'intériorité-source d'une œuvre, c'est-à-dire *la* vie. Tout biographe sérieux veut comprendre, expliquer, et pour cela il sélectionne, organise l'information, dessine des convergences, accentue les moments charnières, trace les polarités fondamentales. Il cherche le sens d'un destin humain. Ce sont là préoccupations d'essayiste. Certes, il ne faut pas confondre biographie et essai qui, pour l'essentiel, obéissent à des impératifs distincts. Mais les meilleures biographies sont indéniablement de l'ordre de l'essai.

Ce biographe-essayiste fait-il œuvre de critique littéraire, pour autant ? La question est plus délicate, plus chargée d'émotions, si ce n'est que parce qu'il y a moins de spécialistes de l'essai prompts à défendre celui-ci qu'il n'y a de critiques avec des idées péremptoires sur ce qu'est la critique littéraire et surtout sur ce qu'elle n'est pas. Je reviens ici à mon point de départ, la marginalité de la biographie, tenue en suspicion tout autant par les historiens que par les critiques.

La biographie, est-ce de l'histoire ? Certes, le biographe explore le passé et, tout comme l'historien, cherche à l'interpréter et à l'expliquer ; il fréquente les archives et n'avance rien qui ne soit fondé. Mais comment nier que la biographie est le parent pauvre des études historiques? L'histoire aime se dire qu'elle plane à un autre niveau: elle traite des États et des collectivités, des grands événements et des institutions. Elle cherche les causes, qu'elle trouve volontiers, maintenant, non plus dans les fortes personnalités et les grands hommes, comme au temps de Voltaire, et encore moins dans les voies de la Providence, comme au temps de Bossuet. Les causes, maintenant, se situent dans les forces sociales et, au premier rang, l'économie. La science, les «sciences» sociales, la véritable connaissance, en somme, exige de quantifier. Ce qu'il est difficile de faire avec les individus. Non pas que de grands historiens n'aient pas tâté de la biographie. Ils l'ont fait, toutefois, avec un malaise évident.

Malaise encore plus évident dans le cas des critiques littéraires, étant donné ce que j'évoquais ci-dessus: les condamnations épistémologiques formulées par Proust, Valéry et leurs épigones. Et pourtant, comment nier que l'érudition est essentielle à la compréhension des œuvres, si ce n'est que comme garde-fou pour éviter les dérapages interprétatifs? Une œuvre est au point de croisement de tout un faisceau d'influences, de déterminations, de discours. Elle n'existe pas dans l'abstraction ni dans le vide. Il n'est pas indifférent de savoir qu'elle est d'une époque et d'un auteur. On peut certes lire les *Pensées* de Pascal comme si elles n'avaient pas d'auteur, comme si le XVIIe siècle, le jansénisme, les libertins, le scepticisme de Montaigne, les débats théologiques n'avaient jamais eu cours; comme si la compétence scientifique de l'auteur n'avait aucune importance, comme si la foi n'était pas pour certains un enjeu fondamental, comme si les lois de l'argumentation rhétorique n'avaient jamais été codifiées. Mais, dans ce cas, est-on vraiment en train de lire les *Pensées*?

Valéry Larbaud l'a déjà dit, et mieux que moi, en rappelant la contribution essentielle de la biographie intellectuelle:

> S'il est certain que l'écrivain, le poète, le penseur, ne sont pas ailleurs que dans leur œuvre, il est vrai aussi que, pour mieux comprendre cette œuvre, il n'est pas inutile de savoir comment elle a pu s'élaborer, se développer, et l'histoire d'un tel développement doit forcément se baser sur quelques données biographiques, telles que: études, lectures, séjours, voyages — le reste: traits de caractère, habitudes, vie privée, étant anecdotique et superflu. C'est là toute l'utilité et la justification de la biographie quand elle est au service de la critique et de l'histoire littéraire[8].

Une recherche biographique à la fois au service de la critique littéraire et adjuvante à la compréhension des œuvres, telle me semble également la position de Roger Le Moine tout au long de sa carrière. Ne pas lire les romans historiques de Joseph Marmette en fonction du contexte, ne pas situer *Jacques et Marie* de Bourassa dans la production contemporaine, c'est mal les lire, rien de moins.

Certes, on pourra me faire ici deux objections, aussi radicales l'une que l'autre, même si elles se situent en quelque sorte aux antipodes l'une de

---

8. Valéry Larbaud, *Œuvres complètes*, Paris, Gallimard, 1953, t. VII, p. 330-331.

l'autre[9]. La première, à l'effet que la biographie telle que je viens de la décrire, au service de la critique littéraire, n'a pas vraiment pour fonction de raconter une vie: elle vise, essentiellement, à expliquer des textes. En somme, la biographie *littéraire* serait toujours une *fausse* biographie. On peut faire une biographie de Céline Dion ou de Paul Desmarais, et même trois ou quatre par année si elles trouvent preneur, car alors la *libido biographica* se donne libre cours pour tout connaître de la vie d'une vedette ou d'un grand financier. Mais face à Gabrielle Roy, le lecteur veut moins connaître la vie de l'auteur que le mystère de ses œuvres: sa lecture est orientée tout autrement. Elle vise les textes et non la vie.

Cette objection me convient tout à fait. Elle est une façon astucieuse de légitimer la biographie littéraire en lui reconnaissant le statut de forme particulière de critique littéraire. Je ne demande pas mieux et il m'importe peu qu'on appelle ce travail particulier biographie ou fausse biographie. La seconde objection est plus difficile à contourner. Que fait-on dans le cas des œuvres dont l'auteur est anonyme ou quasi inconnu? On ne sait rien de Shakespeare, ni d'Homère, ni de Turold, le compilateur ou l'auteur ou le récitant de *La Chanson de Roland*, et pourtant cela ne nous empêche pas de lire leurs œuvres et même de les apprécier comme chefs-d'œuvre. Effectivement. Mais comment nier qu'on se console mal de l'anonymat de ces auteurs et que ce silence historique n'a pas empêché de nombreux critiques, à partir d'indices *textuels*, de construire de toutes

---

9. Effectivement, les deux commentaires m'ont été faits au colloque, lors de la discussion, par des collègues complaisants: Jean-Louis Major et Dominique Lafon.

pièces des biographies qui ont au moins le mérite de la vraisemblance? La compulsion biographique est insatiable et rien ne sert de le nier.

En effet, au-delà de son utilité incommensurable pour nous aider à lire et à comprendre les œuvres, la biographie a sans doute cette autre justification, essentielle, déterminante. La biographie littéraire nous rappelle que l'œuvre littéraire, n'en déplaise aux structuralistes purs et durs — si tant est qu'il en reste — n'est pas une machine, n'est pas un objet. L'œuvre, pour parler comme Sartre, est un faux objet; elle est «objet-sujet», le support objectif d'une intentionnalité subjective. L'art est un phénomène humain. Le livre est fait par quelqu'un, même si ce quelqu'un est anonyme, ou collectif, ou sériel, et ce quelqu'un y a mis l'essentiel de son être, imagination et intelligence confondues. L'œuvre est parole humaine, et pas simplement mécanisme à démonter.

Pour un homme comme Roger Le Moine, si curieux des êtres qui l'entourent, si sensible à la constitution et à la singularité des gens, tellement mêlé à la vie de générations de Québécois qu'on a l'impression que sa parentèle est innombrable — ce qui est effectivement le cas, d'ailleurs —, voilà la vraie justification de la biographie. Elle est à la mesure de notre humaine condition. Quel plus beau défi y a-t-il que d'aller à la rencontre d'un autre être pour essayer de le comprendre et de l'expliquer à soi et aux autres? À l'âge du quantifiable, du numérisable, de la prolifération cybernautique et du bilan comptable érigé en absolu du credo néo-libéral, quel plus beau geste que d'affirmer notre fascination pour *un* individu. La littérature, dont la fonction est d'affirmer d'autres valeurs que celles du nivellement comptable en colonnes bien alignées, a partie liée, il me semble, avec la biographie. Il est étonnant que la critique littéraire ne le reconnaisse pas plus spontanément.

Qui est cet être, cet individu créateur qui, sans égard pour la vie pratique ou le sérieux du quotidien, sans considération pour les grands prêtres de l'efficacité et de l'utilisation optimale de l'énergie commercialisable, sans souci des innovations technologiques, s'installe à sa table et reprend des gestes millénaires, inchangés depuis l'ère du papyrus; qui choisit de peiner sur la page blanche pour réaliser cet objet suprêmement dépourvu d'utilité qu'on appelle un livre? La réponse donnée ne sera jamais satisfaisante, ni complète, mais elle doit être tentée, car elle affirme du moins ceci, qui est fondamental: quel mystère que l'être humain! Toujours ineffable, certes, mais qu'on rêve d'approcher par les moyens du livre, de la biographie.

«*O formose puer*[1]»:
l'éphèbe dans l'œuvre de Félix-Antoine Savard

Yvan G. Lepage
de la Société royale du Canada
Université d'Ottawa

Jean des Gagniers a bien mis en valeur, dans *Monseigneur de Charlevoix*, la culture classique exceptionnelle de Félix-Antoine Savard[2]. Évoquant le personnage d'Alexis, figure centrale de *Menaud maître-draveur*, il se demande si ce nom ne serait pas emprunté à la deuxième *Bucolique* de Virgile[3]. Ai-je tort de voir dans ce rapprochement autre chose qu'une simple marque d'érudition? Bien loin d'être fortuite, l'homonymie me paraît procéder ici d'une motivation profonde, que je vais tenter de mettre en évidence.

Des dix bucoliques, ou églogues, que l'on doit à Virgile, la deuxième, consacrée à la brûlante déclaration d'amour du berger Corydon à l'insensible Alexis, est celle — on le comprend sans peine — qui a le plus

---

1. Virgile, «Alexis», *Bucoliques*, II, v. 17. Dans la Grèce antique, l'«éphèbe» désignait le jeune homme de 18 à 20 ans; c'est le sens que je propose de donner ici à ce terme, en dehors de toute considération d'ordre technique.

2. Jean des Gagniers, *Monseigneur de Charlevoix. Félix-Antoine Savard, 1896-1982*, Montréal, Fides, 1996, p. 183-192.

3. *Id., ibid.*, p. 185.

gêné les commentateurs et les auteurs d'anthologies scolaires. Il aura fallu attendre le vingtième siècle pour assister à un début de réhabilitation de ces deux éphèbes. Pendant qu'André Gide esquissait, dans *Corydon* (1911; 1920), une première et audacieuse apologie de l'uranisme, Marguerite Yourcenar décrivait, dans le sillage de son aîné, le courageux mais «vain combat» d'Alexis contre ses désirs homosexuels[4].

Félix-Antoine Savard avait-il lu ces œuvres? Rien n'est moins sûr. Virgile lui était en revanche parfaitement familier depuis l'adolescence, et il aimait s'en délecter[5]. S'il choisit de lui emprunter le nom d'un héros, ce ne peut être celui de Corydon, trop connoté pour être utilisable. Alexis, qui refuse les avances du berger trop entreprenant et qui combat son homosexualité, est infiniment plus présentable. Va pour Alexis! Félix-Antoine Savard en fera donc le disciple de Menaud, allant même jusqu'à lui fournir un surnom: le Lucon, histoire, cette fois, de le rattacher à la réalité, ainsi que l'a brillamment montré Roger

---

4. Marguerite Yourcenar, *Alexis ou le Traité du vain combat* suivi de *Le coup de grâce*, Paris, Gallimard, 1971 (1re éd., 1929). «Pour ceux qui auraient oublié leur latin d'école, écrit-elle dans la préface de cette édition, notons que le nom du principal personnage (et par conséquent le titre du livre) est emprunté à la deuxième *Églogue* de Virgile, *Alexis*, à laquelle, et pour les mêmes raisons, Gide prit le Corydon de son essai si controversé» (Préface, p. 17).

5. Félix-Antoine Savard possédait en effet, sans doute depuis le temps de ses études classiques, un exemplaire des *Œuvres de Virgile*, traduites, à la fin du XIXe siècle, par Émile Pessonneaux (Paris, G. Charpentier, s.d., 2 vol.). Le texte et la traduction d'«Alexis» se lisent au t. I, p. 10-14. (Cet ouvrage se trouve aujourd'hui dans la bibliothèque de Roger Le Moine, qui a bien voulu le mettre quelque temps à ma disposition.)

Le Moine, dans un article de 1986[6], balisant ainsi la route sur laquelle je m'engage aujourd'hui à sa suite.

Menaud maître-draveur parut en 1937. L'œuvre obtint un succès immédiat et durable. Dès l'année suivante, Félix-Antoine Savard en faisait paraître une édition expurgée de ses fautes et coquilles, marquant ainsi le début d'un lent travail de révision et de refonte qui ne devait cesser que trente ans plus tard. De *Menaud*, on possède en effet six versions différentes, parues respectivement en 1937, 1938, 1944, 1960, 1964 et 1967. Cette activité créatrice s'apparente aux innombrables transformations que Ronsard a apportées aux sonnets des *Amours de Cassandre*, entre 1552 et 1585, ou encore aux remaniements successifs que Claudel a fait subir à ses pièces, et en particulier à *Partage de midi*. On se trouve dans tous ces cas en présence d'œuvres qui ont continué d'évoluer après leur publication, au rythme de la vie de leur auteur.

Félix-Antoine Savard a quarante ans lorsque paraît la première édition de *Menaud*. Comme tout débutant, il jette tout dans cette première œuvre: son indignation devant cette scandaleuse braderie qu'est

---

6. Roger Le Moine, «Lucon fictif, Lucon réel», dans *Solitude rompue*, textes réunis par Cécile Cloutier-Wojciechowska et Réjean Robidoux en hommage à David M. Hayne, Ottawa, Éditions de l'Université d'Ottawa, «Cahiers du CRCCF», 1986, p. 234-247. R. Le Moine met très nettement en lumière «l'influence déterminante» que le Lucon a exercée sur l'homme que fut Félix-Antoine Savard et sur son œuvre: «Alexis Tremblay, dit le Lucon, a appartenu à la réalité avant que d'appartenir à la fiction. [...] D'une certaine manière, [il] est à l'origine de *Menaud* et de quelques-uns des textes qui composent *L'Abatis*, comme sans doute de cette exaltation qui perce à travers le style» (p. 235). Voir aussi Roger Le Moine, «La mort du Lucon [Québec, 5 mai 1988]», *Lettres québécoises*, n° 53, printemps 1989, p. 8.

devenue l'exploitation par des «étrangers» des richesses naturelles du pays, son ardeur missionnaire, son amour de la langue, son érudition, sa culture littéraire, mais aussi — et surtout — son cœur. Son statut de prêtre l'oblige à refréner tout élan affectif ou amoureux. La nature sauvage seule lui a jusque-là permis de s'épancher. À défaut de fils, son affection de célibataire se portera donc sur des substituts, ces personnages mi-fictifs, mi-réels que sont le Délié, Joson et Alexis dit le Lucon. Sur ces adolescents, si beaux, si pleins de désirs et de séduction, Félix-Antoine Savard pose, par l'intermédiaire de son narrateur ou par l'entremise des autres personnages, un regard ému, enveloppant, chaleureux, presque amoureux. Le regard clair et franc, le teint doré, les muscles souples de ces garçons le remuent profondément, sans que l'on puisse décider si l'émotion qui l'étreint alors est celle du père se mirant en son fils ou d'un homme épris d'un bel éphèbe. Les deux lectures sont sans doute possibles, puisque tout se passe comme si Félix-Antoine Savard avait voulu gommer, ou tout au moins atténuer, la seconde interprétation, dont il semble avoir pris peu à peu conscience au fur et à mesure qu'il s'éloignait de la première version de son œuvre. Réflexe d'autocensure?

Comme l'a clairement montré Ruggero Campagnoli, dans un article intitulé «Menaud, le père qui ne sait pas mourir ou le syndrome québécois», on peut légitimement affirmer, en s'appuyant sur l'«inconscient du texte[7]», que «le

---

7. Ruggero Campagnoli, «Menaud, le père qui ne sait pas mourir ou le syndrome québécois», *Revue d'histoire littéraire du Québec et du Canada français*, 13, 1987, p. 113.

discoureur de [*Menaud*] est obsédé par une sexualité refoulée[8].» En refusant à sa fille Marie le droit de répondre à l'invite du Délié dit le Carcajou, Menaud le veuf lui interdit l'accès à la sexualité et il l'enferme dans «la cage œdipienne[9]». Seul le Délié, en effet, avec ses «yeux troublants[10]», a le pouvoir de mettre le feu aux joues de la jeune fille et d'émouvoir sa chair. «Belle pièce d'homme», concède Menaud, «planté droit; haut en couleur[11]». Que peut Marie

> contre ce grand gars qui l'[a] prise par la violence d'un charme émané de ses regards, du sang de son visage tumultueux, de sa force, de sa démarche même, dont les mouvements avaient éveillé en elle des choses qu'elle ne comprenait pas encore[12]?

Les preuves de la trahison que le Carcajou s'apprête à consommer ont beau s'accumuler, la fille de Menaud reste obsédée par son image, et c'est vers

---

8. *Id., ibid.*, p. 114.

9. *Id., ibid.*, p. 108.

10. Félix-Antoine Savard, *Menaud maître-draveur*, Québec, Librairie Garneau, 1937, 265 p. (ici p. 150 [désormais abrégé en *Menaud*, 1937, suivi du numéro de page]); 2e éd. (dite «édition définitive»), Montréal, Fides (coll. du «Nénuphar»), 1944, 153 p. (ici p. 91 [désormais: 1944: 91]); 3e éd. (dite «conforme à la première édition»), Montréal, Fides (coll. «Alouette bleue»), 1960, 215 p. (ici p. 126 [= 1960: 126]); 4e éd. (dite «nouvelle édition»), Montréal, Fides (coll. du «Nénuphar»), 1964, 149 p. (ici p. 88 [= 1964: 88]); 5e éd. (édition de luxe, frontispice en quadrichromie et illustrations hors texte de Michelle Thériault), Montréal, Fides, 1967, 211 p. (ici p. 120 [= 1967: 120]).

11. *Menaud*, 1937, p. 12 (1944: 20; 1960: 16; 1964: 17; 1967: 17)

12. *Menaud*, 1937, p. 108 (1944: 69; 1960: 92; 1964: 65; 1967: 87).

lui que «toutes les forces désordonnées de sa chair [penchent] d'elles-mêmes quand la volonté ne les [retient] pas[13]».

En transférant son amour du Délié à Alexis dit le Lucon, Marie obéit aux injonctions d'un père castrateur. Sitôt investi par les Anciens de sa mission de héros libérateur, au terme d'un songe initiatique, Alexis est invité, par une manière de pacte encore tacite, à prendre auprès de Menaud et de sa fille la place qu'ambitionnait le Délié. À la mort de Joson, fils de Menaud, il franchit un pas de plus en accédant au rôle de fils spirituel du vieux draveur. Ainsi, l'homme que Menaud destine à sa fille est-il plus un frère qu'un fiancé. La scène du gobelet sculpté que le Lucon offre à Marie, au chapitre VI, est fort révélatrice à cet égard. Ce symbole d'amour est en effet le fruit conjugué du travail des deux «frères». En présentant le gobelet à la jeune fille, Alexis prend la précaution de préciser que «c'est un souvenir de Joson. Lui avait trouvé le bois, moi, je l'ai taillé[14]». «C'est joli peut-être, en surface, commente Ruggero Campagnoli, mais c'est lourd du point de vue du symbolisme sexuel[15]». Et d'ajouter: «La sexualité qu'on repousse dans le Délié, en tant que refoulé profond, revient, stérilisée, dans le Lucon».

Pour sa part, Jacqueline Gourdeau a mis en évidence, dans sa très pertinente analyse psychocritique du roman de Félix-Antoine Savard, le caractère narcissique de la relation, fortement connotée du

---

13. *Menaud*, 1937, p. 150 (1944: 91; 1960: 126; 1964: 88; 1967: 120).

14. *Menaud*, 1937, p. 152 (1944: 92; 1960: 127; 1964: 89; 1967: 122).

15. Ruggero Campagnoli, *op. cit.*, p. 108.

point de vue sexuel, que Menaud entretient avec le Lucon, en particulier, et les jeunes hommes en général, dont il admire le corps, «agile, musclé et puissant[16]».

Profondément misogyne, Menaud valorise tout ce qui est jeune et viril, glorifiant la beauté mâle, y compris celle de son fils, «ce bel athlète né de sa souche[17]», en qui il se mire avec complaisance: «Et de son regard, il [Menaud] lui caressa le visage comme une mère orgueilleuse de son petit[18]». Après l'avoir fortement atténuée en 1944[19], Félix-Antoine Savard supprimera cette observation à partir de 1960, laissant toutefois à Menaud la liberté de répéter ce geste maternel, purifié cette fois, au cours de la nuit funèbre qui suit la noyade de Joson:

> Il s'était agenouillé tout près [de son enfant]; il passait ses doigts dans la chevelure froide et mouillée, couvrait de baisers le front pâle, caressait la cire du beau visage, tel un homme qui modèle un masque de douleur[20].

Cette fibre paternelle s'émeut également en présence du Lucon, mais, plus ambiguë, elle cache mal

---

16. Jacqueline Gourdeau, «Quand l'amour de soi prend des airs de conquête. À propos de *Menaud*», *Revue d'histoire littéraire du Québec et du Canada français*, 13, 1987, p. 95.

17. *Menaud*, 1937, p. 16 (1944: 22; 1960: 19; 1964: 19; 1967: 21). L'image de l'athlète revient fréquemment sous la plume de Félix-Antoine Savard. Voir, pour citer un exemple tardif, *Aux marges du silence*, Québec, Garneau, 1975, p. 18: «Comme un athlète / nu / ce bouleau dans l'aurore!»

18. *Menaud*, 1937, p. 79.

19. *Menaud*, 1944, p. 54: «Il regarda longtemps Joson; il le trouvait plus que d'habitude beau et fort au milieu de tous les autres».

20. *Menaud*, 1967, p. 71 (1937: 87; 1944: 58; 1960: 77; 1964: 53).

le désir érotique qui porte irrésistiblement le draveur vers le jeune homme dont il confesse que «le visage [...] lui [plaît][21]». Rien n'est plus révélateur à cet égard que la célèbre scène du songe héroïque, qu'a bien étudiée, dans ses diverses versions, Jacqueline Gourdeau, soulignant l'imprudence naïve d'une instance narrative[22] qui, prenant peu à peu conscience de la «connotation sexuelle attachée aux "lourdes vagues de la chevelure brune[23]" et au baiser[24]», en brouille le message avant de finir par éliminer à peu près complètement, dans l'édition de 1964, ce que la scène primitive pouvait avoir d'impudique. Ce lent processus de revoilement s'opère, pourrait-on dire, comme un strip-tease à l'envers: d'une version à l'autre, le désir, qui s'exprimait d'abord sans retenue, se masque, le climat affectif perd peu à peu de son intensité.

On voudra bien noter que la scène de caresses et de baisers que l'on vient d'évoquer culmine, au centre exact du roman — ce qui en marque assez l'importance —, en «une cérémonie qui s'apparente, par son rituel, à un mariage[25]», au cours de laquelle

---

21. *Menaud*, 1967, p. 99 (1944: 76; 1960: 104; 1964: 73). La version de 1937 use ici de la litote: «Le visage de l'enfant ne lui déplaisait point» (p. 123).

22. Cette instance narrative plurielle — les Anciens — cache mal Menaud, lui-même double de Félix-Antoine Savard. Les marques d'affection sont en effet prodiguées à Alexis non par le peuple des ancêtres, mais par un personnage qui se détache du groupe. Voir Jacqueline Gourdeau, *op. cit.*, p. 96.

23. *Menaud*, 1937, p. 61 (1944: 47; 1960: 57; 1964: 42; 1967: 53).

24. Jacqueline Gourdeau, *op. cit.*, p. 96.

25. *Id., ibid.*, p. 90.

Menaud et Alexis scellent solennellement un pacte secret:

> Menaud s'était levé tout grand debout et, la main vers les monts:
>
> — Cela, non jamais! Non jamais! dit-il.
>
> Puis, enfonçant ses regards dans les yeux sombres d'Alexis et jusque dans la profondeur du sang où frémissaient toutes les forces de combat:
>
> — Veux-tu? lui demanda-t-il.
>
> — Je le veux, répondit le jeune homme.
>
> Alors, le Lucon se rappela ce qu'il avait entendu, une nuit, au bord de la grande rivière.
>
> «Reprends le sentier de tes pères et marche! Avant partout!»
>
> Et, sur son cœur, la lettre jalousement conservée, la lettre où Marie, l'automne d'avant, avait tracé pour lui des entrelacs de cœurs et des croix, la lettre qu'il croyait morte pour toujours se remit à battre.
>
> Aussitôt, tous deux piquèrent du côté de Mainsal, l'un, vers la justice et l'autre, vers l'amour[26].

L'objet de ce pacte n'est nulle autre que Marie, en dernier ressort, Marie à qui le Délié, diabolisé, a été refusé et qui n'a pas son mot à dire en ce qui a trait au

---

26. *Menaud*, 1967, p. 101 (fin du chapitre V) (1937: 126-127; 1960: 106-107; 1964: 74-75). Les différences entre les diverses versions sont ici minimes. Seule fait exception, comme presque toujours, la version de 1944, qui se caractérise par sa concision et son prosaïsme, allant ici jusqu'à affadir le serment: «[...] Puis, regardant le Lucon en qui frémissaient toutes les forces de la jeunesse: / — Veux-tu me suivre? demanda-t-il. / — Je veux bien, répondit le jeune homme. / Alors, il se rappela ce qu'il avait entendu, une nuit de printemps, au bord de la rivière: / «Reprends le chemin de tes pères et marche!» / Et, la lettre où Marie, l'automne d'avant, avait tracé pour lui les signes des amours paysannes, une lettre qu'il avait jalousement conservée, il se mit à la sentir comme vivante sur son cœur» (p. 77-78).

nouveau prétendant que lui destine son père. Elle n'est après tout qu'une femme, dans un univers où seul l'homme est valorisé, moralement et physiquement.

Mais, dira-t-on, cette glorification de la jeunesse mâle n'est-elle pas réservée, chez Félix-Antoine Savard, à *Menaud maître-draveur*? N'obéit-elle pas tout bonnement à la loi de l'épopée, dont le but est précisément de célébrer la force, la jeunesse et la bravoure d'un héros forcément séduisant? Peut-être aussi Félix-Antoine Savard, dont *Menaud* est la première œuvre, n'a-t-il pas encore appris à se défier de son imagination et à imposer des bornes à l'expression de ses fantasmes? Ainsi s'expliquerait l'entreprise par laquelle, de version en version, sur une période de trente ans, l'auteur, gêné par son audace, a déposé sur Alexis des voiles de décence de plus en plus opaques, comme pour le soustraire aux regards lubriques de l'instance narrative.

Il se pourrait aussi que la critique soit malveillante, qu'elle ait l'esprit tordu. Elle ferait alors à Félix-Antoine Savard un mauvais procès en lui prêtant des fantasmes qui appartiennent en fait à ses personnages et au narrateur. Mais, comme l'a bien vu Jacqueline Gourdeau, «l'auteur s'est tellement projeté dans Menaud que ce personnage [...] s'est emparé de son créateur, l'a ensorcelé au point [...] de lui voler son identité[27]». On ne saurait mieux dire. On sait en effet que Félix-Antoine Savard signait volontiers ses lettres «Menaud», se reconnaissant pleinement en son héros. Voici, par exemple, ce qu'il note dans son *Journal*, en date du 25 novembre 1961:

---

27. Jacqueline Gourdeau, *op. cit.*, p. 86.

Je deviens de plus en plus sauvage. Dans Menaud:
«C'était sa vie que tout cela» (que toute cette nature).
C'était aussi la mienne. La liberté! Comme si je l'avais
vue, vivante, chantante et si belle! aux côtés de
Menaud, à mes côtés. Et nous allions ensemble[28].

Cette «relation narcissique» entre un auteur et le
«personnage jailli de son imaginaire[29]» trouve son
prolongement naturel dans la «symbiose» de
Menaud et de la voix narrative qu'elle incarne, si bien
que la fusion entre les trois instances est totale.

Bien loin, par ailleurs, d'être propre à *Menaud*,
l'exaltation de la jeunesse virile est une constante de
l'œuvre de Félix-Antoine Savard.

Le Gildore de *La Dalle-des-Morts* en constitue
un magnifique exemple. Ce bel adolescent de 17
ans[30] est le «frère héroïque du noble Joson[31]», le «fils
de Menaud[32]», ainsi que ne cesse de le répéter Félix-
Antoine Savard lui-même dans son *Journal*, qui
enregistre les différentes étapes de la gestation de
son drame. «*La Dalle-des-Morts* va et se précise [...].
Je vis des moments d'exaltation où la force virile de
mon pays me possède. Muscles des miens, bras et
jambes tannés par les vents et le soleil, têtes héroï-

---

28. Félix-Antoine Savard, *Journal et Souvenirs I, 1961-1962*,
Montréal, Fides, 1973, p. 95. Voir aussi son «Allocution à des
boursiers», dans *Discours*, Montréal, Fides, 1975, p. 65: «Voici ce
que sentait le besoin de vous dire le vieux Menaud [...]». Et on
pourrait multiplier les exemples.

29. Jacqueline Gourdeau, *op. cit.*, p. 86.

30. Comme le précise Félix-Antoine Savard dans la liste
préliminaire des personnages de son drame. Voir *La Dalle-des-
Morts*, drame en trois actes, suivi de *La Folle*, Montréal, Fides
(coll. du «Nénuphar»), 1975 (1re éd., 1965), p. 21.

31. Félix-Antoine Savard, *Journal et Souvenirs I*, p. 125.

32. *Id., ibid.*, p. 197.

ques, je vous ferai chanter», note-t-il, le 23 janvier 1961[33].

Fou de liberté, Gildore est, comme le dit sa grand-mère Élodie, «une sorte d'être sauvage aux longues jambes et qui bondit hors des cadres marqués[34]». Nomade, «ivre d'espace[35]», il s'apparente aux «superbes vagabonds» de *L'Abatis*, «avec de grands airs de force et de jeunesse[36]» que Félix-Antoine Savard voyait passer avec enthousiasme au temps de la colonisation de l'Abitibi. Ou encore à ces «jeunes bûcherons» que le hasard d'un voyage en train lui permet d'admirer et qu'il décrit avec une évidente délectation:

> Quelques-uns sont forts, de belle prestance, fiers de leur cuir qui est une admirable teinture de sang, de sueur et de soleil. Leur chevelure est lustrée et s'abat sur leurs épaules en vagues épaisses[37].

---

33. *Id.*, *ibid.*, p. 18. On trouve un écho de cette «exaltation» dans la scène finale de l'embâcle, au chapitre IV de *Menaud*: «Ohé! ohé! Au-dessus des hommes agiles, trimant des jambes et des bras sur les rebords du chenal [...], Menaud s'exaltait en un espoir né de cet élan viril des gais vainqueurs d'embâcles. / Ohé! au-dessus du tumulte, passait dans la coupe, à pleins bords, le souvenir des grands hardis, des grands musclés, des grands libres d'autrefois dévalant de partout; défilé triomphal dans les musiques de l'eau guerrière, du vent de plaine et du vent de montagne, sous les étendards de vapeur chaude qu'au-dessus du sol libéré déployait le printemps. [...] / Et Menaud s'imaginait voir Joson, Alexis, prendre le pas héroïque et bien d'autres encore avec eux, enfin ralliés par le grand ban de race. / Cela lui contentait le sang et répondait aux reproches qui lui taraudaient le cœur» (1937, p. 78-79; 1944: 53 [texte très abrégé]; 1960: 69-70; 1964: 49-50; 1964: 64-65).

34. Félix-Antoine Savard, *La Dalle-des-Morts*, p. 59.

35. *Id.*, *ibid.*, p. 116.

36. *Id.*, *L'Abatis*, version définitive, Montréal, Fides (coll. du «Nénuphar»), 1966, p. 16.

37. *Id.*, *Journal et Souvenirs I*, p. 171-172 (7 juillet 1962).

«Il n'est raffinement», conclut-il, séduit, «qu'ils ne mettent à leurs apprêts dès qu'ils sortent en civilisation». Chez Félix-Antoine Savard, plaisir sensuel et plaisir esthétique fusionnent volontiers. Ou, pour mieux dire, la fugace vision d'un beau jeune homme se prolonge chez lui dans la contemplation ou l'évocation des œuvres d'art, éternelles, elles.

À propos, toujours, des «jeunes bûcherons» du train, voici ce que lui inspire le spectacle d'un fêtard se détachant du groupe:

> Il me souvient d'un qui fêtait, dansant et chantant, et d'une vie si extraordinaire que je n'en ai jamais vu d'un vin aussi lyrique. Par moments, il tenait sa bouteille verticalement dans sa bouche. Et de ses deux bras, il gesticulait comme s'il eût pincé les cordes d'une invisible musique. J'admirais qu'il pût tirer tant de joie et d'harmonieuses attitudes d'un acte aussi vulgaire. Dans toute la plénitude d'une jeunesse en pompette, il me représentait un faune du cortège de Bacchus et digne d'entrer dans un tableau de Jordaens[38].

Par un subtil glissement métonymique, la vulgarité se métamorphose en art. Prodigieux don d'idéalisation, dont une page de *L'Abatis* nous donne l'un des plus remarquables exemples et qui permet au poète de transformer de simples bûcherons, se détachant la nuit sur les bûchers des abatis, en «héros noirs et rouges», en «demi-dieux beaux et jeunes[39]» ornant les coupes antiques. Le jeune homme dansant est du reste un motif récurrent chez Savard; on le rencontre aussi bien dans *Menaud* (chapitre II) que dans *La Dalle-des-Morts* (acte II).

---

38. *Id., ibid.*, p. 172.
39. *Id., L'Abatis*, p. 54.

Si toute jeunesse séduit Félix-Antoine Savard, il n'en reste pas moins possible de dresser, grâce aux nombreux témoignages qu'il a laissés dans son œuvre, le portrait-robot du jeune homme idéal. Physiquement, il a les cheveux sombres et les yeux noirs, les sourcils très mobiles, le teint cuivré et le corps musclé. Moralement, c'est un nomade, épris de liberté, irrésistiblement attiré par la nature, qui lui tient lieu de maîtresse.

Les modèles sont le Délié, certes, mais aussi Joson et Alexis. Corneau, également, le subversif séducteur de *La Minuit*[40], Hélias, le jeune pêcheur du *Barachois*[41], et Martin, le beau cavalier du conte *Martin et le pauvre*[42]. De même, bien sûr, que le jeune Gildore de *La Dalle-des-Morts*. Voici la description qu'en donne Élise, amie de Délie, la fiancée du jeune homme:

---

40. «Corneau était à présent dans le fort de sa vigueur d'homme, fin et coloré de visage, avec des yeux très noirs et, au-dessus, deux sombres sourcils qui battaient comme des ailes de faucon» (Félix-Antoine Savard, *La Minuit*, Montréal, Fides (coll. du «Nénuphar»), 1962 [1re éd., 1948], p. 46).

41. «Oh! c'est merveille de te voir, jeune pêcheur aux durs bras irisés, aux muscles drus et rapides, cher athlète solitaire et hardi [...]. / Chaque fois que je pense au peuple d'Acadie, c'est ton noble visage que je revois. Je lui propose ta piété, ta force, ta prudence, ta détermination lumineuse, et tel qu'il m'apparaît chez toi, dans l'aurore d'aujourd'hui, le rouge, le splendide et victorieux éclat de l'âme et du sang» (Félix-Antoine Savard, *Le Barachois*, Montréal, Fides (coll. du «Nénuphar»), 1963 [1re éd., 1959], p. 98). Ce portrait trouve comme un écho dans le dessin du jeune homme à la flûte, torse nu, que Félix-Antoine Savard a reproduit à la p. 7 de sa *Symphonie du Misereor* (Ottawa, Éditions de l'Université d'Ottawa, «Voix vivantes», 1968).

42. «Le nouvel officier [Martin] est tout ce qu'on peut voir de plus désirable avec ses beaux yeux hongrois, son visage qui ne respire que fraîcheur et bonté, sa chlamyde élégamment relevée

> C'est qu'il est beau, ton Gildore... avec sa barbi-
> chette, son teint doré et son air à la danse... [...] Oui,
> beau, mais sûr et fidèle aussi. Et pourtant, il n'aurait
> qu'à faire un signe de ses sourcils sur ses grands yeux
> noirs pour enjôler toutes les filles[43].

Comme son grand-père, comme son père, voyageurs
des Pays-d'en-Haut, Gildore est «ivre d'espace». «Je
n'ai qu'à fermer les yeux, confie-t-il à Délie, et je vois
des lacs et des lacs et des rivières et même la prairie
sans fin où ma grand-mère est née[44]». C'est un métis,
incapable, malgré l'amour qu'il éprouve pour Délie,
de résister à l'appel de la «grande vie sauvage[45]».

Le mélange des sangs français et amérindien,
voilà, au fond, ce qui fascine Félix-Antoine Savard.
Les êtres nés de ce métissage acquièrent à ses yeux
une aura toute particulière, un réel prestige:
«J'assiste, comme un père, à l'adolescence de
Gildore», confie-t-il dans son *Journal*. «Il chante et
danse. Avec quelle grâce, déjà, il manie l'aviron du
canot de mes rêves[46]». Lui-même se disait «sang-
mêlé», prétendant avoir par sa grand-mère paternelle du sang huron dans les veines[47]. Aussi s'autori-
sera-t-il de cette hypothétique ascendance pour se
métamorphoser en «vieux Sachem huron», dans

---

sur l'épaule droite par une fibule en or, et son chapeau à plumes»
(Félix-Antoine Savard, *Martin et le pauvre*, Montréal, Fides, 1959,
p. 10.) On pourra admirer, à la p. 8, le dessin au trait qu'a fait Félix-
Antoine Savard du beau cavalier partageant son manteau avec un
pauvre.

43. Félix-Antoine Savard, *La Dalle-des-Morts*, p. 42.

44. *Id., ibid.*, p. 116.

45. *Id., ibid.*, p. 59.

46. *Id., Journal et Souvenirs I*, p. 19 (10 février 1961).

47. *Id., ibid.*, p. 29.

l'allocution qu'il prononcera, le 17 septembre 1974, à l'occasion des fêtes du tricentenaire du diocèse de Québec[48].

En art, l'éphèbe qui fait rêver Félix-Antoine Savard et qu'il constitue en objet d'admiration et de désir absolu n'est nul autre, on s'en doute, que le David de Michel-Ange, l'être de séduction par excellence :

> C'est la plus puissante, la plus expressive sculpture qu'ait jamais taillée la main de l'homme fait à l'image et à la ressemblance de Dieu.
>
> Quelle beauté ! quelle attente ! quelle confiance en soi-même ! Quelle tranquillité de sa force ! Et ce beau, viril visage, sans haine, mais instruit par Dieu lui-même des plus invincibles pensées ! Et sous les sourcils rabattus, ce regard fixé tout droit sur le lieu mortel des cailloux dans le front du Philistin[49].

Transposé au pays de Menaud, David prend la figure idéalisée du «premier guide» de Félix-Antoine Savard, Mas, auquel le poète de *L'Abatis* consacre quelques pages brûlantes de lyrisme et d'amour. D'un amour tout charnel, l'hymne de Félix-Antoine Savard célébrant en effet, à la mode antique, le corps de l'athlète :

> Ton corps était comparable à ces statues où, selon la mesure des dieux, l'âme et la chair sont mêlées. Je célèbre donc ici ta force, ta tête héroïque et sage, ta haute taille, tes bras bien maillés, ta peau de bronze, et cette lance d'or que le soleil avait plantée comme un signe entre tes seins.

---

48. *Id., Discours*, p. 147-154.

49. *Id., Journal et Souvenirs I*, p. 145.

[...]

J'ai gardé l'image, ô rameur, de ton corps balancé sur le flot et des justes cadences de ton aviron. Ô doux inépuisable! Tête sereine et froide, obstinée contre le vent, mais joyeuse, mais à toute musique attentive! Durant de longs jours, sur l'eau, dans l'air, tu jouais comme avec le plectre antique et tu chantais.

[...]

[...] Tu n'étais qu'un pauvre gueux, mais peuplé de splendeurs et de richesses fabuleuses [...][50].

D'autres vagabonds, mais anonymes ceux-là, traversent l'œuvre de Félix-Antoine Savard. «Race excessive, aux allures compliquées de mystères et de prestiges», qu'un «atavisme hérité des anciens Voyageurs [...] [pousse] à l'aventure[51]», ces jeunes, en qui Félix-Antoine Savard «aime à retrouver [...] les muscles vainqueurs, les cris exaltés, la furie, l'extase[52]», font partie de la «race [...] des coureurs de bois» à laquelle lui-même se dit «fier d'appartenir[53]»:

Préparé par une longue tradition de famille, et, dès l'âge de dix ans, initié à la vie libre et sauvage par mon père lui-même[54], je ne rêvais que départs et aventures. Et cette passion était encore excitée en moi par le spectacle qui m'était offert tous les jours, le printemps et l'automne, je veux dire par la procession, devant la maison paternelle, des hommes de chantiers

---

50. *Id., L'Abatis*, p. 74-75.

51. *Id., ibid.*, p. 16.

52. *Id., ibid.*, p. 54.

53. *Id., Journal et Souvenirs I*, p. 216 (29 décembre 1962).

54. Sur ce récit fondateur, voir aussi *Le Barachois*, p. 137, *Journal et Souvenirs II, 1963-1964*, Montréal, Fides, 1975, p. 66-67 et p. 174 s., *Carnet du soir intérieur I*, Montréal, Fides, 1978, p. 131, 161, etc. et *Carnet du soir intérieur II*, Montréal, Fides, 1979, p. 69.

et de drave: dynastie forte et fière, parfois violente, toujours superbe et hardie, fabuleusement accréditée de légendes et d'exploits. Ainsi la forêt du Nord, aux beaux muscles, aux innombrables têtes, passait périodiquement devant moi, m'ensorcelant de ses prestiges et m'enchantant de ses appels[55].

Devenu adulte, Félix-Antoine Savard voulut consacrer l'essentiel de ses énergies à assurer un minimum de bien-être matériel et spirituel à ces «vagabonds». Aussi se fit-il prêtre-colonisateur, pour donner un nouveau départ à ceux que la Crise avait réduits à la misère. Et pour contrer l'attrait de la ville, lieu de perdition, il collabora à l'œuvre sociale que la première moitié de notre siècle a exercée, parfois jusqu'aux excès que l'on connaît, auprès des jeunes. Un bon encadrement, avec un rituel apte à canaliser les énergies débridées, voilà la recette idéale contre le désordre, la révolte et l'anarchie.

Pour répondre aux besoins spécifiques des jeunes Québécois, se créent alors, à des fins essentiellement éducatives, quantité de mouvements de jeunesse d'inspiration belge, française ou suisse, à commencer par l'Association catholique de la jeunesse canadienne-française, fondée dès 1903-1904 par les abbés Lionel Groulx et Émile Chartier[56]. Suivront, dans les années vingt et trente, toujours sur le modèle des associations européennes, la Jeunesse ouvrière catholique (J.O.C.), la Jeunesse étudiante catholique (J.E.C.) et, en conformité avec l'idéologie

---

55. Félix-Antoine Savard, *Le Barachois*, p. 137. Le prestige des hommes de chantiers et la séduction qu'ils exerçaient sur la jeunesse sont déjà présents dans le premier roman de la terre québécois, *La terre paternelle* de Patrice Lacombe (1846).

56. Voir Lionel Groulx, *Une croisade d'adolescents*, Québec, L'Action sociale, 1912, xvii, 264 p.

agriculturiste alors en vigueur, la Jeunesse rurale catholique (J.R.C.), sans oublier, bien sûr, le scoutisme catholique[57]. Tous ces mouvements, dirigés ou du moins encadrés par le clergé, valorisent la fraternisation juvénile et le savoir-faire, par opposition à la pédagogie de l'école, conçue comme pure «transmission verticale d'un savoir théorique[58]».

Sans doute Félix-Antoine Savard n'a-t-il joué aucun rôle dans la création de ces associations, mais, en tant que professeur, prêtre et colonisateur, il a adhéré profondément à l'esprit qui les animait, contribuant même à leur essor. Il n'est que de parcourir son *Journal* pour voir l'intérêt qu'il portait aux mouvements de jeunesse québécois. Voici ce qu'il consigne, à la date du 12 septembre 1962 :

> L'idée m'est venue d'écrire un rituel pour les camps de jeunesse. Je choisirais quelques beaux et grands textes de l'Ancien et du Nouveau Testament. Puis, j'évoquerais les faits et les étapes les plus instructives de notre histoire. Ces rappels seraient entrecoupés de brèves méditations et de chants.
>
> Et la veillée, devant le feu, se terminerait par une promesse de fidélité à la patrie, de respect de la nature et par une prière. Tout cela serait fort sérieux, très simple, et n'aurait d'autre but que de ramener les jeunes aux vérités premières, fondamentales[59].

---

57. Voir, à ce sujet, Pierre Savard, «L'implantation du scoutisme au Canada français», *Les Cahiers des Dix*, n° 43, 1983, p. 207-262.

58. Aline Coutrot, «Le mouvement de jeunesse, un phénomène au singulier», dans Gérard Cholvy, *Mouvements de jeunesse chrétiens et juifs*, Paris, Éditions du Cerf, 1985, p. 119.

59. Félix-Antoine Savard, *Journal et Souvenirs I*, p. 185.

En mai 1963, il plaide auprès des propriétaires, les frères Donohue, l'ouverture de la forêt de Charlevoix aux jeunes: clubs 4-H, scouts et jeunes naturalistes[60]. Il ébauche, le mois suivant, un programme et un rituel pour les scouts[61], qu'il reçoit volontiers au pays de Menaud[62]. S'ils lui plaisent tant, c'est qu'ils les trouve «attentifs, polis et disciplinés[63]». Avec leurs uniformes, leurs foulards, leurs étendards et leurs défilés, les scouts affichent nettement leur allégeance. Les camps leur permettent de formuler leur idéologie sous forme de promesses, de slogans, de devises et de chants autour du feu, symbole de pureté, de générosité et de renouveau.

On pourrait trouver étonnante cette admiration du «Caribou[64]» coureur de bois pour la «phalange[65]» ordonnée des scouts. Ce serait oublier la double aspiration de Félix-Antoine Savard vers la nature et la culture, la liberté et l'encadrement, l'instinct et la raison. En lui se conjuguent depuis l'enfance, dans un équilibre toujours instable, les «farouches instincts» d'un père nomade et les mœurs polies et raffinées d'une mère bourgeoise.

L'école, les bonnes manières, le respect de la tradition contribuaient, sans toujours y parvenir,

---

60. *Id., Journal et Souvenirs II*, p. 33-34 (22 mai 1963).

61. *Id., ibid.*, p. 42 (13 juin 1963).

62. *Id., ibid.*, p. 83 (23 décembre 1963), p. 104 (7 mai 1964) et p. 131 (4 septembre 1964).

63. *Id., ibid.*, p. 83. Voir aussi p. 104: «Je les aime bien parce qu'ils sont disciplinés».

64. Surnom qu'on lui donnait au collège: «Suis-je tout entier sorti des grands bois, moi, qu'au collège on appelait le Caribou?» (Félix-Antoine Savard, *Carnet du soir intérieur I*, p. 131).

65. Félix-Antoine Savard, *Journal et Souvenirs II*, p. 83.

à refréner les «passions et [les] libres allures de ce draveur qui poussait en [lui][66]». Réactionnaire et libertaire tout à la fois, voilà ce qu'était Félix-Antoine Savard, qui s'accommodait fort bien de cette apparente contradiction. Fasciné par les «vagabonds», il aura ambitionné de les fixer au sol, par amour de l'ordre. Folkloriste, il n'aura cessé de chanter son pays et ses héros avec la langue de Mistral, de Claudel et de Valéry, porté par le souffle épique d'Homère, d'Hésiode et de Virgile[67]. Amant passionné de la nature, du mouvement et de la spontanéité, il aura passé sa vie à tenter de les capter par l'écriture et d'en fixer la beauté dans l'immobilité du marbre, à la manière antique. Ainsi s'explique sans doute l'acharnement qu'il aura mis à rendre présentable le Menaud sorti tout ébouriffé de sa candide plume de débutant. Sans cesse remise sur le métier, polie et repolie, l'œuvre atteindra finalement, en 1967, la perfection classique à laquelle Félix-Antoine Savard aura trente ans durant aspiré. L'artiste était,

---

66. *Id., ibid.*, p. 187. Prêtre, puis prélat, Félix-Antoine Savard n'a pourtant rien d'un mondain, comme en témoigne la confidence suivante: «Après *Menaud*, ma première visite dans un salon de Québec. J'y fus mis à la question. Il ne me souvient plus de ce que, gêné, timide, je répondis alors. Tout ce que je sais, c'est que mon sauvage intérieur me réprimanda: "Tu ne retourneras plus dans le monde", me dit-il. / Et j'allai me purger l'âme dans les bois de mon pays» (*ibid.*, p. 173).

67. Un seul exemple suffira à illustrer cette fusion spontanée de la réalité et du mythe. Félix-Antoine Savard raconte, dans ses *Souvenirs* (*Journal II*, p. 204), un voyage en canot que son beau-frère et lui firent en 1916, en compagnie de deux guides. Voici la métamorphose que ces derniers subissent sous sa plume: «Je vois encore nos deux braves [guides] debout, maniant les hauts avirons, pareils à de superbes fils d'Héraklès frappant les têtes de l'Hydre au souffle mortel». L'imagination du poète s'abreuve ainsi constamment aux sources gréco-latine et française.

foncièrement, un artisan, un artisan du verbe, doublé d'un esthète voué à l'expression de la jeunesse, de la force et de la beauté. La durable fascination que Michel-Ange exerça sur lui s'en trouve du même coup éclairée.

Les fresques de la chapelle Sixtine, qu'il découvrit vers l'âge de trente ans, au milieu de cette crise spirituelle qui devait le conduire pour quelque temps au monastère de Saint-Benoît-du-Lac, furent pour lui une véritable révélation. Remué jusqu'au plus profond de lui-même, il devait rester marqué toute sa vie par ce moment de grâce. Et quand il raconte cet épisode, cinquante ans plus tard, il est encore bouleversé au point d'en oublier la plus élémentaire prudence:

> Des goûts profonds avaient refait surface. [...]
> J'avais eu le bonheur de mettre la main sur un petit album des dessins de Michel-Ange.
> Devenu comme le Tommaso dei Cavalieri de ce terrible génie, je dessinais des Sibylles, des Prophètes et même des Ignudis dont les beaux corps tourmentés peuplaient les espaces vides de ma solitude intérieure[68].

Confidence de poids, quand on sait que Tommaso (env. 1509-1587) est ce jeune Romain d'une très grande beauté dont Michel-Ange s'éprit violemment, en 1532, à près de soixante ans, et qu'il chante, à la manière de Shakespeare, dans des sonnets pétrarquisants. Les dessins d'une franche sensualité

---

68. Félix-Antoine Savard, *Carnet du soir intérieur I*, p. 164. Voir aussi *Le Bouscueil*, Montréal, Fides, 1972, p. 215: «Un jour, au collège, je gribouillai l'esquisse d'un Dieu-géomètre. Il eut l'honneur d'une exposition à la "salle des prêtres". Au grand scandale des prudes, je copiais les Ignudi de la Sixtine».

érotique qu'il fit pour lui (*Ganymède*, *Tityos*, *Phaéton*) cachent, sous «leur apparence mythologique et classicisante, [...] de véritables aveux [d'une] souffrance» amoureuse[69]. On sait par ailleurs que les «*ignudi*» sont ces vingt adolescents nus et musclés qui ornent la voûte de la chapelle Sixtine. L'art, dit-on, permit à Michel-Ange de sublimer les sentiments et les émotions qu'il éprouvait face à la beauté masculine. Ne pourrait-on en dire autant de l'œuvre de Félix-Antoine Savard?

---

69. Charles de Tolnay, *Michel-Ange*, Paris, Flammarion, 1970, p. 98.

De l'oralité à l'écriture
Marius Barbeau et l'édition des contes populaires

JEAN-PIERRE PICHETTE
Université de Sudbury

◆ Introduction

Un soir de septembre 1952[1], dans le Quartier latin, près des remparts, un anthropologue réputé, un prêtre écrivain et un jeune professeur enregistrent, chacun à sa façon, un conte d'un pêcheur acadien de passage à Québec. Ce dernier n'entrevoit guère la commotion que produira sur son savant auditoire le petit fabliau qu'il lui débite.

Cette séance, dont le déroulement a été rapporté en 1954 par l'aîné et le plus illustre de ces protagonistes dans un article du numéro canadien du *Journal of American Folklore*[2], met en scène, d'une part, trois personnages dont l'amitié remonte à trois lustres et dont la commune passion pour les traditions orales a engendré une dizaine d'années plus tôt la création d'une chaire de folklore à l'Université Laval. Ces pères trinitaires du folklore canadien-français sont Marius Barbeau (1883-1969), un vert

---

1. D'après les notes de Luc Lacourcière, l'événement décrit serait plutôt survenu en 1954. Voir le carnet « Acadie 3 / 1952-1953 » (Archives de l'Université Laval, P 178).

2. Marius Barbeau, « Nos traditions à l'université », *Journal of American Folklore*, vol. 67, n° 264, avril-juin 1954, « Canadian Number », p. 199-211.

septuagénaire, polygraphe, dont le glas seul sonnera l'heure de la retraite; Félix-Antoine Savard (1896-1982), écrivain au cœur de la cinquantaine dont le *Menaud* est déjà une œuvre de renom; et Luc Lacourcière (1910-1989), folkloriste au début de la quarantaine qui, depuis douze ans, fréquente autant le peuple que les livres.

Devant eux, d'autre part, un jeune Acadien de 19 ans, Onias Ferron, de Saint-Raphaël-sur-Mer, au Nouveau-Brunswick, que Lacourcière et Savard connaissent depuis 1951 et de qui ils ont recueilli, dans son pays en 1952, cinq chansons, six contes et un *reel* à bouche. Ce soir-là, il leur dit un seul conte, minuscule, à peine plus de deux minutes, «La sereine de mer et les trois haches», qu'il tient depuis peu de son père, Alexandre Ferron; celui-ci le tenait peut-être de son propre père, Antoine (Pitou) Ferron qui avait «une réputation de conteur remarquable[3]». Les auditeurs découvrent alors, fascinés, la version orale d'un fabliau fort ancien[4] dont des parallèles figurent dans les œuvres de La Fontaine, de Rabelais et d'Ésope.

C'est la publication d'une forme remaniée de ce récit, donnée «de mémoire, à main levée», par Marius Barbeau lui-même, qui entachera, dans l'esprit de plusieurs ethnologues, la réputation de ce pionnier. Bizarrement et surtout dans les milieux anglophones puis, par contrecoup, chez des chercheurs de langue française de leur périphérie, on laissera courir la rumeur qu'il se permettait bien des licences dans le traitement de la tradition orale.

---

3. Luc Lacourcière, *loc. cit.*

4. Conte type Aa.-Th. 729 *La hache tombée à l'eau* (Aarne-Thompson, *The Axe Falls into the Stream*).

Cette communication[5] a précisément pour but d'explorer le passage de l'oral à l'écrit dans les travaux du premier véritable ethnologue de l'Amérique française. Au cours de sa carrière au Musée national du Canada — aujourd'hui le Musée canadien des civilisations —, Marius Barbeau a recueilli, principalement entre 1914 et 1918, environ 245 contes populaires. Notés à la sténographie — donc mot à mot sous la dictée des conteurs —, certains de ces récits ont subi plusieurs transformations avant de parvenir à la publication. Pour mesurer le degré de fidélité de Barbeau au texte oral, nous avons rassemblé certains documents qui témoignent des étapes de son travail: notes sténographiques de terrain, leur translittération, manuscrits à publier, publications scientifiques et recueils pour la jeunesse. Voulant conserver à cet examen des proportions modestes, nous avons sollicité deux récits exclusivement: celui que Barbeau a lui-même présenté dans l'article évoqué ci-devant — «La sereine de mer et les trois haches» — et un autre dont nous avons pu retracer toutes les étapes et les confronter l'une à l'autre, «Les bossus». Nous épargnerons cependant au lecteur les détails de cette fastidieuse et lourde comparaison pour ne retenir, dans cet exposé, que les conclusions qui s'en dégagent.

♦ «La sereine de mer et les trois haches[6]»

Il suffit d'une part de parcourir l'article de la revue américaine de folklore pour identifier la source de la rumeur infamante qui devait affliger notre célèbre pionnier. D'autre part, pour peu qu'on se

---

5. Nous livrons ici le premier état d'un texte plus considérable à paraître dans le quatrième cahier de la Société Charlevoix.

6. Voir l'*annexe A*: «La sereine de mer et les trois haches».

donne la peine de comparer, par une lecture attentive, la version remaniée de Barbeau et la transcription donnée en appendice, on aura à la vérité tôt fait de se convaincre de son juste fondement. C'est cet arrière-fond qui fut le point de départ de nos interrogations et qui nous amena à explorer le passage de l'oralité à l'écriture chez Marius Barbeau.

Dans le fonds Marius-Barbeau[7], se trouve une copie dactylographiée de la transcription du récit du conteur Ferron; elle est annotée de la main de Barbeau et contient quelques interventions mineures apportées au texte oral pour éviter les répétitions et alléger la lecture. Toutefois, l'adaptation qu'il en propose, dans le corps de son article, est porteuse d'ambiguïté. Pour tout dire, ses interventions dénaturent le texte oral. Et ce, de cinq façons.

1. Premièrement, il transforme la qualité du personnage central. D'un bûcheron, il fait un pêcheur; ce seul détail affaiblit même l'argument du récit puisque la perte de la hache doit certainement avoir des conséquences moins graves chez un pêcheur, pour qui elle est un instrument accessoire, que chez un bûcheron dont elle s'avère l'outil de travail essentiel. On comprend mal alors qu'il fasse de l'obtention finale des trois haches la source de son bonheur: «un vrai trésor» qui annonce la fin de «la misère»; et qu'il renchérisse: «sa pêche en mer devint merveilleuse». L'écart entre ce pêcheur et le bûcheron du conte oral, qui reprend tout bonnement son travail ordinaire, est déjà considérable.

---

7. Musée canadien des civilisations (MCC), Ottawa, fonds Marius-Barbeau, boîte 82, f. 3, dossier: 2e série des *Contes du grand-père Sept-Heures*.

2. Deuxièmement, il prête ensuite au conteur un vocabulaire technique et maritime qu'il n'a pas employé: *quille, barge, plain, crocs, coques, degras, bordages, échouerie, étambot, crans, bouetter, appointir*; il expose aussi en détail la technique d'appâter la ligne de pêche. Plus encore, il crée une demi-douzaine de notes infrapaginales pour les expliquer. Il fait même un renvoi à Rabelais pour souligner une expression ainsi rajoutée. Cette façon de corser le texte, qui se trouve renforcée par la couleur d'authenticité que lui confère la présence de notes savantes, revêt un caractère trompeur.

3. Troisièmement, au plan stylistique, la part d'invention est particulièrement imposante et rallonge de vingt-cinq pour cent environ le texte qui passe de trente à quarante lignes. Par exemple, Barbeau remplace les six phrases courtes et simples de l'introduction du conte oral par trois phrases longues et complexes; de sorte que, sur les soixante mots de son adaptation, moins de cinq appartiennent au texte original qui en contenait tout juste la moitié. On peut généraliser cette observation à toute l'adaptation littéraire qui se démarque d'un texte oral sobre, au vocabulaire banal, aux phrases brèves, au récit plus court.

4. Quatrièmement, Barbeau localise l'événement, d'abord vaguement à l'Échouerie (une échouerie étant une plage), puis, en épilogue, en pointant nommément trois localités du nord-est du Nouveau-Brunswick. Ce caprice de style, plutôt anodin, transgresse toutefois le caractère fictif du conte et le fait glisser dans l'univers réel, territoire de la légende.

5. Enfin, cinquièmement, il impose encore, à un récit en soi déjà éminemment moral, une moralité insistante, par trop appuyée. En outre, en lui conférant une portée étiologique, qui expliquerait, comme une malédiction, la «misère noire» des pêcheurs de la péninsule acadienne, il fait de ce petit conte moral un mythe:

> Voilà la raison, explique-t-il, pour laquelle il y a depuis tant de pauvreté à Miscou, à Tracadie, à Caraquet et partout où se trouvent hommes et poissons en degras, au large des crans rouges.

Voilà ce qui s'appelle prendre des libertés avec la tradition orale. Mais tout cela est monnaie courante dans le monde de l'adaptation qui permet la «traduction très libre d'une pièce (de théâtre), comportant des modifications nombreuses qui la mettent au goût du jour» et la «transposition [...] d'une œuvre d'un genre littéraire différent[8]». C'était bien aussi ce qu'avait notifié Barbeau en écrivant:

> Or voici *une adaptation littéraire* de ce conte déjà connu ailleurs que je présente ici *de mémoire, à main levée*, quitte à en reproduire le texte authentique en appendice[9].

Une première question hante ici le lecteur attentif: pourquoi l'auteur a-t-il présenté, dans le corps de cet article destiné à une revue savante, une version remaniée d'un conte populaire? Choix d'autant discutable que la transcription de l'enregistrement original figure en appendice et fait voir l'ampleur des interventions du remanieur. Barbeau ne s'en explique pas. Du reste, la distance entre ces

---

8. *Le Nouveau Petit Robert*, Paris, 1993.

9. Marius Barbeau, «Nos traditions à l'université», *op. cit.*, p. 199; l'italique est de nous.

deux versions est-elle représentative du traitement scientifique habituel de Barbeau? Pour répondre à cette deuxième question, l'analyse de sa méthodologie nous paraît la seule façon de vérifier et d'apprécier son souci d'authenticité.

♦ La méthodologie de Marius Barbeau

Marius Barbeau utilisait la sténographie pour recueillir les traditions orales dictées par ses nombreux informateurs. Dès l'âge de 13 ans, en 1896, il fut initié à cette méthode qui faisait partie du programme d'études commerciales dispensé par les Frères des écoles chrétiennes à Sainte-Marie de Beauce; il la pratiqua, sans véritable but, de 1897 à 1903, au Collège de Sainte-Anne-de-la-Pocatière, puis il l'utilisa régulièrement durant son cours de droit à Laval de 1903 à 1907. Ainsi, quand il mettra, pour de bon, la sténographie à contribution dans ses enquêtes ethnographiques à partir de 1915, il l'aura exercée depuis une vingtaine d'années. Ce ne sera donc plus l'œuvre d'un débutant.

Il faut remarquer que l'usage de la sténographie représentait un net progrès dans la cueillette des documents de tradition orale quand on sait que ses devanciers en France ne disposaient que de l'écriture ordinaire pour les noter. Au tournant du siècle, Anatole Le Braz faisait d'une informatrice, qui ralentissait son débit pour lui permettre de la suivre à la plume, sa conteuse idéale.

S'il s'agit d'éprouver la fiabilité du travail de Barbeau, même avec le perfectionnement qu'il a pu y introduire, la tâche est d'envergure: pour le conte en tout cas, ce contrôle est irréalisable à partir d'un original saisi par un appareil mécanique étant donné que Barbeau réservait le phonographe, en raison des coûts d'opération élevés et de la durée d'enregistrement limitée, à la captation des mélodies de chansons. La seule exception connue est l'enregistrement de «La sereine de mer et les trois haches» qui est justement à l'origine du litige que l'on sait. On ignore si, ce jour-là, Barbeau a pris des notes du conte d'Onias Ferron; sa longue pratique de la sténographie aurait normalement dû favoriser ce réflexe. Se serait-il tout simplement reposé sur le magnétophone de Lacourcière? L'aveu qu'il recrée ce conte «de mémoire» pourrait accréditer cette interprétation. De toute façon, on ne sait ce qu'il serait advenu de telles notes dont les archives d'Ottawa (MCC) et celles de Québec (AFUL) ne portent aucune trace.

Toutefois, si l'on ignore ce que Barbeau a véritablement entendu, on a néanmoins toujours accès à l'ensemble de ses notes sténographiques, conservées au Musée canadien des civilisations; elles nous révèlent en tout cas ce qu'il en a retenu. À partir de ces manuscrits, il est encore possible d'apprécier la fidélité de l'ethnographe au document d'origine.

Parmi des dizaines d'autres récits, nous avons choisi, pour illustrer notre propos, un échantillon bref, recueilli en 1916, au beau milieu des enquêtes de Barbeau sur le conte; sa méthode d'enquête est alors certainement au point. Il s'agit du conte charlevoisien «Les bossus» dont le texte a été publié dans une revue savante en 1919, la même, soit le *Journal of American Folk-Lore* [*sic*][10]; les fines notations

---

10. C[harles]-Marius Barbeau, «Contes de Charlevoix et de Chicoutimi», dans «Contes populaires canadiens (troisième série)», *Journal of American Folk-Lore*, vol. 32, n° 123, janvier-mars 1919, p. 161-163.

sténographiques, couvrant trois petits feuillets de la main de l'anthropologue, et leur translittération sont classées dans le fonds Marius-Barbeau au musée d'Ottawa. Pour authentifier la translittération, il faut cependant une maîtrise parfaite du système utilisé et adapté par Barbeau, ce que nous n'avons aucunement. Par bonheur, nous avons pu joindre la seule personne encore capable de lire et de contrôler le contenu de cette sténographie: Mme Claire Landry-Darling, secrétaire de Barbeau de 1955 à 1957, qui continua jusqu'à la mort de son patron la translittération des contes sous la supervision de ce dernier puis, après 1969, qui mena seule cette tâche jusqu'à sa complète exécution, le 31 mars 1989. Elle a bien voulu vérifier, avec diligence et méticulosité, la translittération de ces notes[11].

♦ «Les bossus[12]»

La confrontation des notes translittérées et du texte publié fait ressortir plus d'une centaine d'interventions que Barbeau a effectuées en vue de la publication, modifiant ainsi treize pour cent du texte dans ses aspects narratifs et stylistiques.

Au plan narratif, toutes les séquences du récit noté ont été intégralement respectées, de même que leur ordonnance; la segmentation que nous avons opérée en quatre séquences et leur découpage en quatorze paragraphes le font mieux voir. Le nombre de répliques, paroles des personnages rapportées en discours direct, demeure égal, soit vingt-deux, dans les deux cas.

---

11. Cette rencontre a eu lieu à la résidence de Mme Claire Landry-Darling, à Ottawa, le 12 février 1999.

12. Voir l'*annexe B*: «Les bossus».

C'est au plan stylistique que les modifications sont les plus importantes: d'abord perceptibles par de légères variations dans le nombre de phrases (augmentation de 75 à 82), dans le nombre de verbes (réduction de 173 à 167) et dans le nombre de mots (accroissement de 858 à 890), ces interventions stylistiques se répartissent en trois catégories: des ajouts, des suppressions et, surtout, des substitutions. Dans les douze cas notés, les *suppressions* sont faites pour alléger le texte de mots répétés dans des phrases consécutives (l'adverbe *bien*, par exemple), pour réduire une accumulation superflue d'incises, pour uniformiser une série de pronoms sujets, par souci général de clarification. Une vingtaine d'occurrences sont constituées d'*ajouts* de mots: tantôt d'une conjonction ou du premier membre de la négation, tantôt d'une apposition ou d'une précision du nom du personnage. Mais la très grande majorité (84 cas) sont des *substitutions*: normalisation de prononciations ou de mots populaires, précision d'un mot (nom, pronom, verbe) et respect de la concordance des temps pour une première moitié; les autres sont essentiellement des interventions exigées par le sens: réinterprétation des notes surtout, avec quelques inversions, corrections et une seule reformulation.

En somme, ce sont là les effets d'une honnête normalisation, davantage soucieuse d'accroître la lisibilité du texte oral, par la clarté du propos et la correction grammaticale, que de réinventer une nouvelle histoire à partir des données populaires comme Barbeau l'avait fait dans son «adaptation littéraire» de «La sereine de mer et les trois haches».

♦ Conclusion

Cette dernière comparaison du document d'origine et du texte publié, à partir de l'exemple des «Bossus», donne une plus juste idée de la qualité du travail de Barbeau, qui ne nous paraît pas inférieure à celle des chercheurs qui l'ont suivi avec des moyens techniques beaucoup plus perfectionnés; elle souligne en outre le professionnalisme de ce maître qui respecte, le plus exactement que sa méthode le lui permet, l'authenticité du texte oral et qui demeure fidèle à la méthodologie qu'il proposait dès 1916:

> Quant à la méthode, il va de soi que l'exactitude historique doit être ici le seul guide. Enregistrer mot à mot la dictée du conteur est un idéal que tous ne peuvent atteindre. Il est indispensable, néanmoins, de rapporter le plus fidèlement possible toutes les locutions du conteur, et de ne négliger ni récits, ni épisodes, alors même qu'ils paraissent anodins ou saugrenus. Rien n'est indigne de l'attention de l'historien-ethnographe; et un jugement prématuré sur le choix ou l'exclusion de certains matériaux de nature douteuse ne peut que nuire aux fins proposées. Le même scrupule doit présider à la préparation des textes. On peut sans doute donner une forme grammaticale aux tournures incorrectes et retrancher les répétitions inutiles; mais la simplicité n'en doit jamais être altérée; et le langage curieux du conteur ne fait qu'ajouter à la valeur du texte, surtout au point de vue de la linguistique.

> L'auteur a recueilli les contes suivants à la sténographie, sous la dictée courante des conteurs. La transcription en a été faite avec la plus grande fidélité possible. Des mots archaïques ou familiers et des néologismes populaires ont été indiqués en italiques, à titre d'exemples seulement. Il ne faut d'ailleurs pas oublier que nos conteurs parlaient tous le langage des

paysans illettrés, et y mêlaient souvent des expressions grossières et bannies de toute autre société, en Canada. Notre devoir d'historien était, cependant, de tout enregistrer, sans omission ni contrefaçon; et le lecteur éclairé ne nous en voudra pas d'avoir suivi la méthode strictement scientifique[13].

Ce souci scientifique, tout à l'honneur de cet initiateur, n'excuse cependant pas l'incongruité d'avoir publié une adaptation littéraire dans une revue savante — véritable confusion des genres et des publics —, d'y avoir ajouté des notes factices et annexé la transcription du récit enregistré. Voilà certes une erreur de jugement dont, en dépit de toutes les explications qu'on pourra imaginer[14], il demeure en définitive le seul responsable.

Mais cela ne justifie pas, non plus cependant, la mauvaise réputation qu'on a faite à Barbeau sur les bases d'un seul exemple et qui est, comme on vient de le voir, tout à fait exagérée; c'est même un charriage odieux, une sorte de coup de pied de l'âne au «Lion devenu vieux[15]». Nous osons croire que l'exercice auquel nous venons de nous livrer apportera un éclairage nouveau sur la contribution scientifique de ce géant de l'ethnologie canadienne et fera taire ceux qui se font encore l'écho de préjugés simplistes et dépassés.

---

13. Marius Barbeau, «Contes populaires canadiens», *Journal of American Folk-Lore*, vol. 29, n° 111, janvier-mars 1916, p. 3.

14. Par exemple: date rapprochée de tombée de la revue? engagement pris d'y publier cet article? manque de temps pour y apporter des corrections? arrivée tardive de la transcription? etc.

15. La Fontaine, *Fables*, Livre III, fable XIV.

◆ Épilogue: à l'école du peuple

On aura noté que le conte qui a déclenché cette étude avait été recueilli, exceptionnellement et conjointement, par Marius Barbeau, Luc Lacourcière et Félix-Antoine Savard, les pères fondateurs du folklore canadien-français. En présence du jeune narrateur acadien, les inventeurs de notre folklore ont opéré, chacun selon son état et son âge, ses dispositions et son art. Bien que leur participation ne nous soit révélée que par le témoignage d'un seul, leur conduite au cours de cette séance n'en paraît pas moins rapporter une attitude commune à l'égard du document oral et dégager aussi, par un tableau exemplaire, l'image de ce que fut leur contribution personnelle à l'ethnologie.

Pour recueillir les traditions orales, nos premiers ethnologues, qui se disaient alors «folkloristes», se mettent, comme ceux d'aujourd'hui, à l'école du peuple. C'est bien la démarche usuelle de notre triumvirat de «maîtres ès lettres de Laval» toujours «à l'affût de dires et de chants populaires», ainsi que l'exprime le doyen du groupe:

> Cette fois — et ce n'est pas la seule depuis quelques années — c'était l'université même, par notre entremise, qui se penchait humblement sur un illettré de Cadie, qu'il serait faux d'appeler ignorant, puisque céans il nous en apprenait de son cru. De passage à la Côte-au-Canot, au pied du Séminaire, ce type analphabétique était, impromptu[,] devenu notre maître[16].

Voilà de quoi troubler le «jeune morutier des bancs de Miscou près de Shippâgan», peu habitué à tant de

---

16. Marius Barbeau, «Nos traditions à l'université», *op. cit.*, p. 200.

considérations de la part de l'élite. Aussi, raconte Barbeau, «ayant cédé la parole à ses hôtes», demeura-t-il «bouche bée». Car

> [i]l lui était maintenant donné d'entendre deux ou trois universitaires, livres en mains et débordant de connaissances livresques, gloser sur les origines et les pérégrinations mondiales et millénaires de la petite «blague» qu'il venait innocemment de débiter et qu'il tient lui-même de son père, raconteur de la côte[17].

Marius Barbeau

L'aîné et le maître des deux autres en cette discipline, Marius Barbeau, s'intéresse aux traditions orales franco-canadiennes depuis quarante ans déjà. Anthropologue à l'emploi du Musée national d'Ottawa de 1911 à 1948, il est venu au folklore, à l'invitation de Franz Boas, afin de vérifier la thèse de l'influence française sur les Amérindiens du Canada et des États-Unis. C'est ainsi que, par le biais des Amérindiens, Barbeau fit entrer de force le folklore au Musée national, et, en particulier, le folklore canadien-français. Il a recueilli, dans des régions du Québec, plus de deux cents contes, des milliers de chansons, couvert tous les genres de la littérature orale et exploré la culture matérielle. En énonçant ainsi son titre — «moi-même, professeur agrégé donnant alors, aux cours d'été, une série de conférences sur notre chanson populaire[18]» —, il explique sa présence à Québec. Il a fort probablement consigné le récit du jeune Ferron à la main, en employant la méthode sténographique qu'il pratique depuis plus d'un demi-siècle, mais ses notes

---

17. *Ibid.*, p. 201.
18. *Ibid.*, p. 199.

restent introuvables. Il en a produit une adaptation pour une conférence à l'Université Laval, il l'a publiée dans cette revue scientifique et l'a encore retouchée dans un recueil de contes pour la jeunesse[19]. Homme de terrain, explorateur, découvreur, analyste et fervent communicateur des traditions françaises et amérindiennes, Barbeau aura été toute sa vie un polygraphe impénitent, quitte à se faire à l'occasion porteur de contradictions. C'est lui qui décrit cette scène et qui offre «à grands traits, ou tout comme[20]», et avec les conséquences que l'on sait, «une adaptation littéraire de ce conte» présentée «ici de mémoire, à main levée, quitte à en reproduire le texte authentique en appendice[21]».

Luc Lacourcière

Disciple du précédent, Luc Lacourcière est «professeur titulaire de folklore à [l'Université] Laval[22]» depuis 1944. Fondateur des Archives de folklore, avec l'appui de son maître et la collaboration de Mgr Savard, il est depuis 1942 un ardent rassembleur de nos traditions orales et à la veille d'élire, entre tous les genres, le champ du conte populaire. Également versé en littérature et rompu à ses méthodes, par ses études universitaires, ses recherches et son enseignement, il a développé une attitude critique. C'est lui, «maître Luc» comme

---

19. Marius Barbeau, *Les contes du grand-père Sept-Heures*, Montréal, Éditions Chanteclerc, vol. 8, 1953, p. 43-48: «La sirène et les trois haches».

20. Marius Barbeau, «Nos traditions à l'université», *op. cit.*, p. 200.

21. *Ibid.*, p. 199.

22. *Ibid.*, p. 199.

l'appelle à deux reprises Barbeau[23], qui, après une «joyeuse exclamation», établit les rapprochements entre la «blague» entendue et les œuvres de La Fontaine, de Rabelais et d'Ésope. Bénéficiant des progrès matériels, il enregistre ce conte «sur ruban magnétique[24]» et le transcrit scrupuleusement; c'est ce «texte authentique» que Barbeau reproduit «en appendice» à son article. Plus prudent et plus exigeant aussi, il ne publiera aucun recueil de contes durant sa vie, préférant fignoler un catalogue du conte populaire, encore incomplet et inédit pour les parties achevées.

Félix-Antoine Savard

Écrivain reconnu depuis la parution de son premier roman, *Menaud maître draveur* (1937), Félix-Antoine Savard est aussi professeur et «doyen à la Faculté des Lettres[25]» de l'Université Laval, mais sa carrière est toute tournée vers la création littéraire. Lui, il se laisse porter par la poésie du récit et par les commentaires savants de «maître Luc» dont il se hâte de contrôler les propos: «Le savant doyen de la Faculté des Lettres [...] de tirer sur le fait des rayons de sa bibliothèque et les *Fables* de La Fontaine et le plantureux *Pantagruel*» puis, «[à] son tour [... il] brandit son *Pantagruel* et en cite une variante touffue [...][26]». Le journal de Savard ne conserve pas de traces de cette écoute attentive. Peut-être s'en est-il inspiré, comme il le fera des enquêtes qu'il mena conjointement avec le «grand Luc».

---

23. *Ibid.*, p. 199 et p. 201.
24. *Ibid.*, p. 199.
25. *Ibid.*, p. 199.
26. *Ibid.*, p. 201.

Sa contribution à l'étude des traditions orales se limite aux pièces recueillies en collaboration, surtout avec celle de Luc Lacourcière, et à quelques textes qu'ils ont cosignés[27]. Il explique ailleurs son cheminement et ce qu'il doit à ses chers compères dans le discours de réception d'un doctorat honorifique que lui conféra l'Université Laval en mai 1970:

> À l'époque où, à la suite d'un article sur Menaud qui m'avait fort ému, nous nous rencontrâmes, vous étiez déjà tout et bien orienté par un maître, le très grand canadien Marius Barbeau; et moi, avec mon petit bagage de bachelier, j'étais poussé, comme d'instinct, dans le même sens que vous. Mais alors que vous alliez dans la connaissance des traditions populaires jusque dans leurs plus menus détails, moi, je cherchais, à vos côtés et souvent dans les mêmes lieux, les personnages et les circonstances de mes proses et poèmes. Et un beau jour, vous, sortant des contes et des légendes de notre peuple, et moi, du commerce des paysans, des draveurs et des hommes de bois, nous nous retrouvâmes, dans la Passe-des-Monts de Charlevoix, tous deux assis sur des souches et comme enracinés, consignant à la main un conte de Médéric Bouchard, celui du Grand Voleur de Paris, dont vous m'apprîtes qu'il datait du roi égyptien Rhamsinite, et dont Hérodote lui-même nous avait transmis la substance.
>
> Ce fut alors pour moi toute une révélation: Hérodote dans la Passe-des-Monts; et ailleurs, dans les derniers rangs de nos campagnes et dans les bois de mon pays,

---

27. Voir dans l'ouvrage de Sœur Thérèse-du-Carmel (Lucienne Blais), *Bibliographie analytique de l'œuvre de Félix-Antoine Savard* (Montréal et Paris, Fides, [1967], 229 pages), la description de cette collaboration: «enregistrements de documents folkloriques» (p. 54-56: nos 137-148); «Le folklore» (n° 344), «Le folklore acadien» (n° 190) et «L'histoire et le folklore» (n° 184). En outre, Savard a écrit «Marius Barbeau et le folklore» (n° 25).

les héros de la Toison d'or et de l'Odyssée, les trouvères et troubadours du Moyen Âge et les gauloiseries du truculent confrère Rabelais. C'était, chez ceux que, nous, les intellectuels, regardons souvent avec hauteur, c'était, dis-je, découvrir une profondeur insoupçonnée de culture et de multiples biens de vérité, de beauté, de joie surgissant d'un passé très lointain[28].

Cela, Luc Lacourcière l'a aussi confirmé:

> C'est pourquoi je m'en tiendrai à une seule remarque susceptible d'éclairer la participation de Mgr Savard aux enquêtes de folklore. Notre collaboration en ce domaine, depuis un quart de siècle, remonte à notre amitié commune pour Marius Barbeau et son œuvre folklorique. À sa suite, et parfois en sa compagnie, nous avons repris les chemins de la tradition principalement dans Charlevoix, en Gaspésie, en Acadie.
>
> Partout au contact des gens du peuple chacun de nous faisait à sa manière son butin de science ou de poésie. Pendant que j'enregistrais sur disques ou rubans magnétiques pour les Archives que l'Université créa en 1944, Mgr Savard emmagasinait impressions et images dans la mystérieuse chambre noire de sa création poétique. C'est là sans doute simplifier à l'extrême des vues et des rôles qui n'interdisaient aucunement les empiétements de la poésie dans le domaine documentaire ou vice versa[29].

Sa dette envers la tradition orale, Félix-Antoine Savard n'en a jamais fait mystère:

---

28. Félix-Antoine Savard, *Discours*, Montréal, Fides, [1975], p. 132-133.

29. Voir la «Lettre-préface» de Luc Lacourcière dans la *Bibliographie analytique* de Sœur Thérèse-du-Carmel, *op. cit.*, p. 10.

N'eût été ce contact fraternel avec le peuple, que m'ont facilité les enquêtes de folklore, je me demande ce que j'aurais pu écrire[30].

Malgré l'interprétation abusive que certains en donnèrent, l'article que Marius Barbeau fit paraître dans le *Journal of American Folklore* révèle néanmoins l'accueil enthousiaste que les pères de notre folklore réservèrent à la parole populaire. La séance qu'il décrit campe d'ailleurs assez justement la méthode de traitement et le type de diffusion préconisés par chacun d'eux: découverte et diffusion du fait folklorique sous toutes ses formes, y compris l'adaptation littéraire, chez Barbeau; transcription, archivage, analyse comparée et catalogage chez Lacourcière; et enfin source féconde d'inspiration artistique chez Savard.

♦ **Remerciements**

On nous permettra encore d'exprimer notre gratitude au comité organisateur de cette journée consacrée à célébrer la carrière d'un éminent collègue, et tout spécialement à Michel Gaulin, confrère de la Société Charlevoix, qui en a eu l'idée. C'est, pour l'auteur de ces lignes, qui est le nichet de la couvée nombreuse du grand Luc Lacourcière, un honneur et un grand plaisir de revoir Roger Le Moine et de lui rendre hommage, un peu comme il a bien voulu le faire lorsqu'il s'est associé, à Sudbury en 1991, aux

---

30. Sœur Thérèse-du-Carmel, *op. cit.*, p. 20.

célébrations qui marquèrent l'œuvre cinquantenaire du père Germain Lemieux[31].

---

31. Voir la communication de Roger Le Moine, «*Les anciens Canadiens* ou Quand se fondent l'oral et l'écrit», dans *L'œuvre de Germain Lemieux, s.j. Bilan de l'ethnologie en Ontario français. Actes du colloque tenu à l'Université de Sudbury les 31 octobre, 1er et 2 novembre 1991*, sous la direction de Jean-Pierre Pichette, Sudbury, Prise de parole et Centre franco-ontarien de folklore, «Ancrages», 1993, p. 163-174.

«La sereine de mer et les trois haches»

Transcription révisée

1. *La hache perdue*

[Une fois c'était un vieillard qui bûchait au ras une rivière. Puis, un midi, bien, il avait soif. Il a pensé: «Je m'en vas aller boire à la rivière.» ***Toujours***[1],] il a été au bord de l'eau, puis il a bu. Il avait sa hache à la main. ***Toujours***[2], il a échappé sa hache au fond de l'eau.

Lamentations

Il s'a mis à brailler. Ça faisait une bonne escousse qu'il braillait.

2. *La sirène retrouve la hache*

Toujours, une sereine de mer, qui a ressoudu à lui; *elle* a dit:

— Quoi [est-] ce que t'as à brailler?

«La sereine de mer et les trois haches»

Version remaniée

1. *La hache perdue*

Une fois, il est bon de vous dire, un pêcheur, debout sur la quille de sa barge atterrie au plain[1], bouettait ses crocs[2] avec des coques[3] fraîches, et [par] d'amples gestes circulaires enroulait lentement sur le pont sa ligne interminable en projetant les crocs au dehors[4]. Sa tâche enfin finie, avant de pousser vers le large en degras[5] pendant la matinée, il saisit sa hache pour appointir une cheville de bordage. Par mégarde il échappe l'outil, qui tombe et disparaît dans la mer.

Lamentations

Le voilà qui braille et se lamente à tous les saints.

— Ma hache, ma hache, bon saint Expédit!

La perte est grande pour un pêcheur pauvre comme du sel, lui qui n'a guère que son grément pour nourrir femme et enfants dans une cabane de bois rond à l'Échouerie[6].

2. *La sirène retrouve la hache*

Une sereine[7] sort de la mer sur les entrefaites et lui demande pourquoi les hauts cris. Il vient de perdre sa hache. Pour lui, c'est

159

— B*ie*n, il a dit, j'avais une hache, *puis*, *il a dit*, je l'ai perdue dans l'eau, *puis*, *il a dit*, je *peux pas* [ou: suis pas capable *de*] la trouver.

Ça fait qu'elle a plongé, puis elle lui a ressoudu une hache d'argent. *Elle* a dit:

— C'est-i celle-là?

Il *a* dit:

— Non, *il a dit*, c'est pas ma hache.

Ça fait qu'elle a pris la hache, puis elle l'a mis[e] à ras lui.

Puis elle a descendu de nouveau, puis elle lui a monté une hache d'or. *Elle* a dit:

— C'est-i ta hache?

Il a dit:

— Non, il *a* dit, c'est pas ma hache.

*Ça fait qu'*elle l'a mis[e] à ras lui encore.

Elle a descendu de nouveau puis, là, elle a r*e*monté sa hache. *Puis* quand qu'elle a r*e*monté sa hache, en la voyant sortir de l'eau:

— *Ah*, il a dit, ce*tt*e-là, c'est ma hache.

Ça fait qu'elle a dit:

— Comme t'a*s* été bon homme, elle dit, je m'[en v]as te donner les trois haches.

comme perdre sa main gauche.

— Patience! répond la sereine, [j]e te la trouverai ben manque!

La femme à queue de poisson plonge à pic, fait sonner la hache sur le roc au fond, réapparaît ruisselante, pose une main sur l'étambot et de l'autre tend une hache au pêcheur. Tout surpris, les yeux écarquillés, il regarde. Mais cette hache n'est pas la sienne: rutilante au soleil, elle est en or vif. Il ne peut pas l'accepter.

— Pose-la quand même sur l'étambot à ton côté, lui dit la sereine.

Puis elle replonge et fait sonner une autre hache sur le roc au fond. Émergeant aussitôt, la hache qu'elle lui tend cette fois est du plus fin argent, pâle comme la lune. Le pauvre homme, trop honnête pour prendre un outil qui n'est pas le sien, une fois de plus esquisse un geste de refus.

— Pose-la à côté de l'autre! dit la femme de mer, qui une troisième fois plonge et replonge.

Sonne une autre hache sur le roc au fond. Puis la sereine remonte présenter au pêcheur un outil de fer rouillé et pas guère coupant. S'écla[t]ant[8] de rire, le bonhomme reconnaît sa hache et la reprend avec

bien des remerciements.
Bonne mère! faut dire que
ça lui sauve la vie. Rien de
plus pressé, il veut remettre
à la femme-poisson la hache
d'or et la hache d'argent,
mais:

— Pas la peine! dit-elle.
Fais-en ton profit, parce que
tu es honnête sans pareil.

Reprise du travail

Ça fait que lui, *bien*, il a pris
ses trois haches, *puis* il a
rachevé toute sa journée. Il a
bûché **toute la journée**. Le
soir, **bien**, il s'en a été avec
ses trois haches.

Le bonheur

Pour un pêcheur de morue,
ces haches, sans compter la
sienne, étaient un vrai trésor. Depuis ce jour, il ne
connut plus la misère, et sa
pêche en mer devint mer-
veilleuse.

3. *La nouvelle ébruitée*

Puis il a rencontré un
autre bûcheron. *Il* [Ce
bûcheron] a dit:

— D'où *que* tu deviens
avec ces belles haches-là?

— Bien, il a dit, j'ai été
boire aujourd'hui puis, *il a
dit*, j'ai perdu ma hache
dans l'eau. *Il a dit*: c'est une
sereine de mer, *il a dit*, qui a
ressoudu à moi, puis qui m'a
donné ces trois haches-là.

— Bien, *il* [l'autre] a dit,
faut que je vas m'en quérir
une.

3. *La nouvelle ébruitée*

La nouvelle de sa bonne
chance s'ébruita sur le
plain.

La fortune tentée

Ça fait qu'il avait une belle hache. Toujours, le lendemain matin, il a pris sa hache **puis** il s'en a été dans le bois. Il a été à ras l'eau, puis il a jeté sa hache *dans l'eau*. Il s'a mis à brailler. *Ça fait que* la sereine a ressoudu à lui *puis elle* lui a demandé quoi [est-] ce qu'il avait à brailler.

— Bien, il a dit, j'ai perdu ma hache dans l'eau.

*Ça fait qu'*elle a descendu, puis elle lui a *re*monté une hache d'argent. *Puis* en voyant la hache d'argent, il a crié, *il a dit*:

— Ce*tt*e-là, c'est ma hache!

Ça fait qu'*elle est allée puis* elle a dit:

— T'es un menteux! *elle a dit*, c'est pas ta hache. *Elle a dit:* ta hache, c'est une autre hache. Celle-là, *elle a dit*, [icitte là?], c'est mes haches, *ça*, moi. *Puis, elle dit*, comme t'as été menteux, *bien*, elle dit, si tu veux avoir ta hache, descends toi-même la chercher.

La fortune tentée

Pas si fous, d'autres pêcheurs voulurent bien tenter leur fortune. À tour de rôle, ils jetèrent leur hache à la mer.

Semblablement la sereine à leur aide se mit à plonger dans la mer au fond et à leur présenter une hache d'or. Sans scrupule aucun, ils la prirent tout court, comme étant la leur.

Pour les châtier de leur fourberie, elle leur dit:

— Tu es un fieffé menteur. Si tu veux ta hache, plonge toi-même au fond.

162

Moralité

C'est pourquoi, s'ils s'en tirèrent sans se noyer, ils végétèrent pour toujours dans la misère noire. Voilà la raison pour laquelle il y a depuis tant de pauvreté à Miscou, à Tr[a]cadie, à Caraquet et partout où se trouvent hommes et poissons en degras, au large des crans rouges.

Source:

AFUL, collection Lacourcière-Savard, enreg. 1266g.

Transcription de Luc Lacourcière révisée par J.-P. Pichette.

Durée: 2 minutes 18 secondes.

Source:

Journal of American Folklore, vol. 67, n° 264, avril-juin 1954, p. 199-200.

Notes:

1. Nous restaurons ce passage d'après un manuscrit, retrouvé au MCC et qui porte à croire qu'il s'agit de la transcription originale effectuée avant l'effacement accidentel des premiers mots du conte enregistré.

2. Les *italiques* identifient les lettres, mots et expressions que nous avons restaurés d'après l'enregistrement. Les mots en **gras** indiquent les interventions pratiquées par Barbeau dans l'appendice du *Journal of American Folklore,*

Notes:

1. Plage.

2. Mettait des appâts à ses hameçons.

3. Mol[l]usques bivalves.

4. Cette manière de placer la ligne sur le pont est propre à Port-Daniel et à la côte sud de la Gaspésie. Sur la côte d'en face, au Nouveau-Brunswick, on retire la ligne pour la rejeter du côté opposé, après avoir bouetté les crocs.

5. À marée baissante.

vol. 67, n° 264, avril-juin 1954, p. 210-211.

6. Échouerie, en Gaspésie et sur les côtes maritimes, veut dire plage où les pêcheurs échouent leurs barques pêcheuses.

7. Vieille manière de dire sirène.

8. «Dieux et Déesses *s'éclatèrent* de rire.» Rabelais, *Pantagruel*, Le Quart Livre, Jacques Boulenger, éd. p. 555.

«Les bossus»

Translittération

Le mari bossu et jaloux

1. Y avait une fois un homme une femme. Et lui était cordonnier, il était jaloux comme un *betsi*.

2. Tous les jours, il se greyait un voyage de *chaussures* dans sa voiture pour les vendre dans la paroisse. Bien des jours, il était rien que 3 ou 4 heures dans son voyage et il s'en revenait quand la jalouserie le prenait.

3. Un bon matin, il dit à sa femme, il dit: — À matin, je pars et je te réponds que je reviendrai pas avant demain au soir. Sa femme dit: — Tu feras bien comme de coutume; quand ta jalouserie te reprendra, tu reviendras bien. — Crains pas, ma femme, je réponds je reviendrai pas avant demain au soir. #

La mort des trois bossus

4. Quand il est parti, monsieur, c'qui ressoud à la maison de la femme? 3 bossus, bossus comme son mari, bossus devant, bossus derrière, bossus à mitan, bossus dans le dos; enfin c'était qu'une bosse comme

«Les bossus[1]»

Publication

Le mari bossu et jaloux

1. Il y avait, une fois, un homme et une femme. L'homme, un bossu, était jaloux comme un *betsi*[2].

2. Tous les jours, il se *grèyait* un voyage de chaussures dans sa voiture, pour aller les vendre dans les paroisses. Bien des fois, il n'était que trois o[u] quatre heures en voyage, et il s'en revenait quand la jalousie le prenait.

3. Un bon matin, il dit à sa femme: «À matin, je pars, et je te réponds que je ne reviendrai pas avant demain *au* soir.» Sa femme dit: «Tu feras bien comme de coutume; quand ta *jalouserie* te reprendra, tu reviendras à la course.» — «Ne crains pas, ma femme! je te réponds que je ne reviendrai pas avant demain *au* soir.»

La mort des trois bossus

4. Pendant qu'il est parti, monsieur, *ce* qui *ressoud* à la maison de la femme? Trois bossus, bossus comme son mari, bossus devant, bossus derrière, bossus au mitan, bossus dans le dos; enfin ça n'était qu'une bosse —

son mari. Elle dit: — Mes pauvres enfants, c'est terrible comme vous êtes bossus comme mon mari. Ils demandent à déjeuner à la femme. Elle dit: — Ah! je vais vous donner à déjeuner. #

5. Quand ils sont à déjeuner à table, elle voit son mari qui venait à *pique* du cheval. Elle dit: — Vous êtes morts, voilà mon mari et c'est certain qu'il vous voye il vous tue. Elle ouv'e un grand coffre du temps passé de *6* pieds de long, et six de haut. # [p. 2] # Elle fou' les *3* bossus dans le coffre. Et quand, pour fermer le coffre, le bossu se prend de *l'arse* elle est obligée de monter dessus à *2* pieds pour pouvoir ouvrir la clef. #

6. Son mari arrivé, c'est pas un homme c'est un giable, il culbutait tout dans la maison; il culbuta le coffre *5* ou *6* fois, il virait tout, mais c'est inutile, il ne trouvait rien. Il dit à sa femme: — Je m'aperçois bien que c'est la jalouserie qui me fait faire ça. Je m'en vas repartir et je te réponds que je reviendrai pas. Mais lorsqu'il vira de bord avec sa voiture

comme son mari. La femme dit: «Mes pauvres enfants, c'est terrible comme vous êtes bossus comme mon mari!» Les bossus demandent à déjeuner à la femme. Elle répond: «Oui, je vas vous donner à déjeuner.»

5. Quand ils sont à déjeuner à table, elle voit son mari qu[i] revenait *à pique* de cheval. Elle dit: «Vous êtes morts, mes amis! voilà mon mari; et c'est certain qu'il va tous vous tuer.» Elle avait un grand coffre du temps passé, de six pieds de long et ça de haut[3]. Elle *fout* les trois bossus dans le coffre. Mais ça prend de l'*arse*, et, pour fermer le coffre et *virer* les clefs elle est obligée de monter dessus à deux pieds.

6. Son mari arrive. Ce n'est pas un homme, c'est un diable. Il culbute tout, dans la maison. Il culbute le coffre cinq ou six fois, il viraille tout. Mais c'est inutile, il ne trouve rien. Il dit à sa femme: «Je m'aperçois que c'est la *jalouserie* qui m'a fait faire ça. Je vas repartir et je te réponds que je ne reviendrai pas.» Mon gars *revire de bord* avec sa voiture.

166

7. et s'en va descendre, la femme elle ne pense pas tout de suite aux bossus. Au bout d'une couple d'heures, elle pense aux bossus qui est renfermés dans le coffre. — Mon Dieu, elle dit, i' sont bien morts. Elle s'en va voir le frère, il est mort comme *3 clous* comme on dit. Comment faire pour me débarrasser de ces bossus-là?

L'élimination des cadavres

8. Elle s'en va à la ville, elle engage un charretier pour aller jeter un bossu à la rivière, *2* piastres qu'elle donne au charretier. —Bien, elle dit, monsieur, je vois toujours que vous l'appareillez. Le bossu était raide comme du bois. Elle prit un bossu, elle le *mâte* par le côté de la porte, sur l'escalier et le charretier arrive. Il dit : — Où c'que c'est vot' bossu? — Monsieur, le voilà là. Prend le bossu elle l'embarque dans la charrette. Arrivé sur le bord de la rivière, attrape le bossu à main par su la face du cou et l'aut'e par le fond de sa culotte et le lance à la rivière. Revire de bord,

7. Ça avait distrait sa femme, qui prit quelque temps à repenser aux bossus dans le coffre. Au bout d'une couple d'heures, elle pense aux bossus. — «Mon Dieu! elle dit, ils sont bien morts.» Elle va ouvrir le coffre. Ils étaient morts comme trois clous, comme on dit. «Comment faire pour me débarrasser de ces bossus-là?»

L'élimination des cadavres

8. Elle s'en va à la ville, elle engage un charretier pour aller jeter un bossu mort à la rivière; deux piastres *qu'*elle promet au charretier. «Bien, elle dit, Monsieur, je vas toujours bien vous l'*appareiller.*» Les bossus étaient raides comme des barres. Elle en prend un, le *mâte* après le poteau de la porte, sur la *galerie.* Le charretier arrive, en disant: «Madame, où est votre bossu?» — «Monsieur, le voici.» Prend le bossu, l'*embarque* dans sa charrette. Arrivé sur le bord de la rivière, attrape le bossu, une main par *sus la fausse* du cou et l'autre *par* le fond de ses culottes, et le lance dans la rivière. *Revire de bord.*

9. du moment qu'il avait fait son voyage, la femme reprend un aut'e. Et le remet à la même place.

10. Le charretier arrive.
— Bien, il dit, madame, payez-moi. Elle dit: — Monsieur comment, vous payer? Faites votre ouvrage et je vous paierai. — Comment, il dit, mon ouvrage? Elle dit: — Voilà vot' bossu là. Vous comprenez bien le charretier était en giable. Maudit charretier pour ça qu'a pu êt'e revenu. Il rattrape le bossu et il le remet dans la charrette pas de bonne humeur, vous en doutez pas. Arrivé sur le bord de la rivière, il va le poigner et il le tire dans le milieu de la rivière, il dit: — Là, tu reviendras pas là.

11. Arrivé à la maison: — Ah bien, il dit, madame, payez-moi sur 2 voyages pour un sûrement que j'ai bien gagné mon argent. Et *duront* qu'il a été le mener [le] bossu, elle avait pris l'aut' bossu et l'avait monté le long de la porte. — Comment, elle dit, monsieur, vous payer! Faites votre ouvrage et je vous paierai. — Comment mon ouvrage? J'ai déjà fait 2

9. Du moment que le charretier est parti avec son voyage, la femme prend un autre bossu, et le met à la même place.

10. Le charretier arrive. «Bien, il dit, madame, payez-moi!» — «Monsieur, comment, vous payer? Faites votre ouvrage et je vous paierai.» «Comment, mon ouvrage?» Elle dit: «Voilà votre bossu, là.» Vous comprenez bien, le charretier est en diable. Il se demande comment le bossu est revenu. Rattrape le maudit bossu, et le remet dans sa charrette, pas de bonne humeur, vous n'en doutez pas. Arrivé sur le bord de la rivière, il vous le *pogne* et il le tire dans le milieu de la rivière, en disant: «Tu ne reviendras pas de là.»

11. Revient à la maison: «Bien, il dit, madame, payez-moi. Deux voyages pour un, sûrement *que* j'ai gagné mon argent!» Mais *duront* qu'il était allé porter son bossu, la femme avait sorti le troisième et l'avait mis le long de la porte. «Comment, elle dit, monsieur, vous payer? Mais faites votre ouvrage, et je vous paierai.»

voyages c'qui est réglé. — Ah bien, elle dit, voilà vot' bossu, là. C'est pu un homme, c'est un giable, le charretier; il attrape le bossu et je vous garantis qu'il le mène pas poliment. Il arrive sur le bord de la rivière, il vous le lance qu'il le traverse quasiment la rivière. # [p. 3] # — Je vous assure que je le reverrai pas là. #

— «Comment, mon ouvrage? Mais j'ai fait deux voyages.» Il était en colère. «Tiens! elle dit, voilà votre bossu, là.» Ce n'est plus un homme, c'est un diable, le charretier. Il attrape le bossu et je vous garantis qu'il ne le men*it* pas poliment. Arrivant sur le bord de la rivière, il vous le lance *qu'il* traverse quasiment la rivière. «Cette fois-ci, je ne le reverrai plus.»

La mort du mari

12. En revenant au bossu en vie, la jalousie l'avait pris, quand le charretier revire sa voiture. S'adonne à regarder au bout du pont, il voit venir le bossu. — Ah! ah! il dit, mon maudit, je t'ai tiré par icitte et tu reviens par là, il dit. Bien, je te dis que tu passeras pas.

La mort du mari

12. Revenons au bossu en vie, le cordonnier. La jalousie l'ayant repris, il s'en revenait à la course. Le charretier, en *revirant* sa voiture, s'*adonne* à regarder au bas du pont; il voit venir le bossu. «Ah! il dit, mon maudit, je t'ai tiré par ici, et tu reviens par là? Bien, je te dis que tu ne passeras pas, cette fois.»

13. Le charretier s'en va sur le pont, mais l'aut'e, la jalouserie le tourmente, s'enfile sur le pont, mais charretier va l'attraper; il le lance à la rivière.

13. Pendant que la jalousie surmonte le bossu qui s'*enfile* sur le pont, le charretier se plante dans son chemin, il vous l'attrape et il le lance à la rivière.

14. Ça fait de même que mon charretier a clairé la femme de ses *3* bossus et de son mari. Elle était réglée de

14. *Ça fait de même que* mon charretier avait [débarrassé][4] la femme de ses trois bossus et de son mari. Il

169

tous ses bossus. Elle a payé son charretier et l'a réglé. #

méritait les deux piastres qu'elle lui avait promises; et il n'a pas manqué de les avoir.

Source:

MCC, fonds Marius-Barbeau, boîte 156, f. 12, contes non classés, conte n° 98.

Texte translittéré par Mme Claire Landry-Darling, le 12 février 1999.

Notes:

Je ne me souviens pas de qui je l'ai apprise.

Les *italiques* indiquent un mot écrit en toutes lettres dans les notes sténographiques.

Ce signe correspond aux alinéas dans les notes sténographiques.

Source:

Journal of American Folk-Lore, vol. 32, n° 123, janvier-mars 1919, p. 161-163.

Notes:

1. Conté par Marcel Tremblay, surnommé «Poisson», à Saint-Joseph (Éboulements, Charlevoix), en juillet 1916. Marcel Tremblay, né en 1840, est dépourvu d'instruction; il a demeuré pendant une assez longue période dans les centres manufacturiers de la Nouvelle-Angleterre.

2. Pour Bec-en-scie, oiseau. Edmond Tremblay, fils, nous expliqua que «le *betsi* est un oiseau gros à peu près comme une pie, jaloux de tous les autres oiseaux.»

3. Un geste indiquait ici la hauteur.

4. Tremblay dit: «clairé», angl. de «to clear».

HOMMAGES / ALLOCUTIONS

Hommage

DANIEL POLIQUIN
Écrivain

Je remercie Michel Gaulin, qui a eu l'idée de m'inviter à la fête offerte à Roger. Vous pensez bien que je n'aurais pas voulu rater ça pour un empire.

Il y a longtemps qu'on se connaît, Roger et moi. Dans cette amitié, j'ai fait les premiers pas, pour ainsi dire. C'était en 1972, et je suivais un cours de lettres canadiennes-françaises du XIXe siècle donné par Pierre-Hervé Lemieux. Les étudiants étaient appelés à commenter un livre de l'époque, et j'avais choisi un roman parfaitement nul qui s'intitulait *Le chevalier de Mornac*, de Joseph Marmette. J'avais cependant remarqué la préface, qui était bien faite. Elle était signée Roger Le Moine, et j'avais trouvé dans son style une désinvolture qui ressemblait à ma propre légèreté. Le nom du préfacier m'est resté.

Plus tard, à l'époque où je faisais un détour par les lettres allemandes et la littérature comparée, du côté de Kafka et d'Étiemble, j'ai confié à mon ami Robert Viau, déjà doctorant et aujourd'hui professeur titulaire à l'Université du Nouveau-Brunswick, que je reviendrais un jour à la littérature d'ici et que je ferais un doctorat sous la direction de Roger Le Moine. Il faut croire que l'impression de cette affinité d'esprit ne m'avait pas quitté.

Et c'est ce que j'ai fait. Un jour, maîtrise en poche, je suis allé le trouver et lui ai demandé de diriger ma thèse. Il a voulu savoir pourquoi je m'intéressais au roman historique québécois. Je lui ai répondu que j'avais une sorte de dette d'honneur envers ces livres où j'avais appris à lire. Tout petit, j'avais été ému par la série télévisée *Radisson*, et de là, enfant lecteur à peu près compétent, j'avais lu avec fièvre Georges Cerbelaud-Salagnac, Robert de Roquebrune et tant d'autres. Je me jugeais désormais suffisamment formé pour rendre au roman historique québécois ce qu'il m'avait donné. Roger Le Moine a compris tout cela et a bien voulu me prendre chez lui.

Je n'ai que de beaux souvenirs de cette collaboration, qui s'est muée tout naturellement en amitié. Et je vais vous dire aujourd'hui l'idée essentielle que Roger Le Moine m'a inculquée. J'avais appris, au cours de mes recherches sur les rapports entre le roman historique et les idéologies canadiennes-françaises, qu'en 1875, le gouvernement québécois, d'allégeance ultramontaine, avait aboli le ministère de l'Éducation. Ce fait m'avait inspiré quelques pages brûlantes d'indignation rétrospective. Monsieur Le Moine m'avait dit, avec une lueur amusée dans le regard, que j'allais un peu vite en affaires en jugeant aussi sommairement toute une époque. Laquelle était d'ailleurs riche de nuances et de mouvements souterrains que masquaient bien mal les idéologies du temps.

En substance, il m'a fait comprendre que, dans l'histoire des idées, les monolithes n'existent pas. Sauf bien sûr dans l'esprit des idéologues. Ainsi, dans ce même Québec d'alors, d'apparence si catholique,

Montréal élit un maire franc-maçon, Honoré Beaugrand, dont le journal libéral, *La Patrie*, connaît de
beaux tirages. Dans le même ordre d'idées, rappelons que le *Refus global* est né aux plus belles heures
du duplessisme persécuteur de syndicats et de
Témoins de Jéhovah. Il n'y a pas d'époque qui ne soit
pas faite de courants et de contre-courants.

Voilà ce que Roger Le Moine m'a appris, et il a
opéré en ce sens chez moi ce que ma grand-mère, et
plus tard Roland Barthes, appelaient un déniaise-
ment, qui a fécondé mon écriture. Oui, dans l'étude
du passé, le chercheur comme l'écrivain rééditent
sans cesse la célèbre allégorie de Platon. Dans la
lueur de la caverne s'agitent des ombres que seuls les
idéologues prennent pour des ombres, et le chercheur comme l'écrivain ont le devoir d'aller vivre un
temps dans la caverne, où ils apprennent que ces
ombres sont des personnes. Personnes qui, pour
l'écrivain, peuvent devenir des personnages. C'est
Roger Le Moine qui m'a donné l'idée d'un certain
roman historique, et avec son encouragement, je
suis allé vivre quelques années au XVIIIe siècle, d'où je
suis ressorti avec *L'homme de paille* en mains. Vous
voyez maintenant tout ce que je lui dois.

Pour terminer, je vais maintenant me permettre
une liberté que je n'ai jamais osé prendre avec mon
maître et ami. Même si l'affection a toujours eu sa
part dans notre collaboration, je ne me suis jamais
hasardé à le tutoyer, lui qui m'y a pourtant invité plusieurs fois. Mon respect pour lui était tel que nous en
sommes toujours restés au «vous» et au «monsieur»
long comme le bras. Aujourd'hui, je me jette à l'eau
parce que je veux être sûr d'être bien compris, et
devant témoins en plus:

Mon cher Roger, tu t'en vas, et je comprends ça, je te pardonne. Mais j'aimerais bien que tu continues de travailler, et que l'on continue de se voir comme avant, parce que tu vois, moi non plus, j'ai pas fini.

Salut mon cher Roger, et à très bientôt!

Roger Le Moine, ambassadeur du passé

Sylvain Simard
Député à l'Assemblée nationale du Québec

Je veux d'abord remercier les organisateurs de cette journée hommage à notre collègue d'avoir songé à moi pour faire ce soir l'éloge de Roger Le Moine. C'est avec beaucoup de regret que j'ai manqué ces dernières années les manifestations entourant le départ de collègues, devrais-je dire d'ex-collègues, pour lesquels j'ai toujours eu beaucoup d'estime et d'amitié. En me livrant à cet exercice périlleux, aux contours obligés et aux pièges menaçants, c'est aussi à eux que je pense, représentants d'un monde universitaire aujourd'hui largement disparu. En traçant les grandes lignes de votre carrière si riche, cher Roger, je me ferai plaisir en vous disant toute la chance que nous avons eu de passer ces années en votre compagnie, mais vous sentirez aussi ma tristesse de voir une partie importante de notre histoire universitaire prendre fin, ma nostalgie d'un art de vivre et de travailler emporté par des mutations qui, pour être nécessaires et certainement stimulantes, entraînent avec elles jusqu'au souvenir d'un monde à la fois si près et si éloigné de nous.

En recrutant le jeune chercheur Le Moine au début des années 1960, comme ils l'avaient fait pour les Wyczynski, Robidoux et plus tard Hare, les

fondateurs de ce département marquaient clairement leur volonté d'établir une puissante équipe de
chercheurs dont les travaux seraient orientés vers
l'étude des débuts de notre littérature nationale. La
création du Centre de recherche en civilisation canadienne-française, le développement de collections
comme celle des *Archives des lettres canadiennes*, la
création de nouveaux programmes et, surtout, la
publication de nombreuses études, monographies et
éditions critiques allaient mettre cette équipe outre-
outaouaise à l'avant-garde de la recherche et de
l'enseignement de la littérature québécoise. Tout en
gardant une place centrale à la littérature française
dans la formation et la recherche, ils voulaient
asseoir la jeune littérature en plein essor sur une connaissance scientifique de ses origines.

Roger Le Moine était une recrue de choix. Fraî-
chement émoulu des couloirs vénérables de l'Université Laval, en rupture avec un enseignement tra-
ditionnel aux forces et aux limites évidentes, il appartenait à une famille qui, par les Le Moine, les Buies et
les Savard, avait des liens profonds avec notre littérature depuis plus d'un siècle. Toute l'œuvre de Roger
Le Moine s'inscrit dans cette durée et son espace de
Charlevoix. Pour en réclamer l'héritage, en se gardant pour l'oncle Félix le droit d'inventaire, mais surtout pour nous ramener dans l'intimité d'une société
qu'il a cherché à faire revivre pour notre plus grand
plaisir. Nous avons eu la chance, au cours des trente
dernières années, de compter parmi nous un repré-
sentant du XIXe siècle, un véritable ambassadeur du
passé! Homme de culture, érudit, rompu aux usages
policés d'une communauté qui gardait encore les
traces profondes de ses origines françaises, Roger

Le Moine est parfaitement informé des grands débats idéologiques, politiques, religieux et culturels qui ont secoué régulièrement cette petite société québécoise en construction. Personnage paradoxal, difficile à réduire à un portrait univoque, on le sait à la fois conservateur et anticlérical, admirateur de Louis-Joseph Papineau, libre penseur radical et éditeur de Laure Conan, dévote créatrice de personnages aux étonnantes perversités, biographe d'un peintre d'églises comme Napoléon Bourassa, ou d'Honoré Beaugrand qui n'y mettait que peu les pieds. Auteur de textes définitifs sur Philippe Aubert de Gaspé, Joseph Marmette et James McPherson Le Moine, notre collègue a toujours su rendre vivants les œuvres et les auteurs qu'il étudiait, connaissait intimement et enseignait.

Car ce savant n'est pas un cuistre. Résistant aux assauts répétés de modes totalisantes et parfois totalitaires, il s'inscrit dans la solide tradition de l'histoire littéraire tout en étant très curieux des apports de la sociocritique et de la psychocritique. Pour des générations d'étudiants et de lecteurs, il a su plonger dans l'inconscient de nos héros romanesques, armé des propositions de Marthe Robert, comme il fut curieux du moindre incident familial, politique, culturel ou social ayant pu affecter l'humeur de P.-J.-O. Chauveau ou de Joseph Marmette. Membre de la Société des Dix et collaborateur régulier à ses *Cahiers*, membre de la Société royale (toujours sa prédilection pour les sociétés secrètes!), Roger Le Moine a multiplié les monographies sur des points de détail de la vie de notre microcosme littéraire comme il a su brosser des synthèses définitives du roman historique québécois dans ses deux

179

contributions majeures au volume des *Archives des lettres canadiennes* sur le roman publié en 1964 et repris entièrement pour l'édition de 1977.

Chercheur minutieux, profondément marqué, pour s'en inspirer comme pour s'en démarquer, des travaux des Casgrain, Camille Roy et de ses maîtres de la Faculté des lettres de l'Université Laval, Roger Le Moine ne s'est pas limité à faire revivre le contexte sociohistorique dans lequel s'élabore une littérature à vocation exemplaire, relais fonctionnel d'une idéologie de conservation, garante d'une société immobile, tout occupée à maintenir vivant un peuple français et catholique. Insatisfait du traitement partiel et souvent partial réservé à certains auteurs jugés sulfureux, il s'est longuement penché sur les romans, nouvelles et essais d'écrivains originaux, chevaux rétifs échappés du grand corral des ultramontés. Sans lui nous ignorerions à peu près tout d'Honoré Beaugrand, auteur de notre premier roman industriel, *Jeanne la fileuse*, homme étonnant, francophile impénitent, imbu de principes laïques et républicains, produit d'une Amérique capitaliste et libérale. C'est tout un pan du parcours intellectuel du seigneur de la Petite-Nation qui serait resté dans l'ombre sans l'inventaire minutieux qu'il nous a donné de la bibliothèque de Papineau. Et surtout, comment ne pas rappeler ici qu'il fut le premier qui ait tenté, en une analyse scientifique et rigoureuse, de décrire l'évolution de la franc-maçonnerie, d'évaluer son rôle dans l'histoire intellectuelle québécoise? Hors des imprécateurs cléricaux, rapides à débusquer l'influence des frères trois-points chez tous ceux et celles qui s'éloignaient du corridor étroit où tentaient de les enfermer nos Laflèche, Bourget,

Tardivel et autres Veuillot au petit pied; hors, plus près de nous, quelques prosélytes entretenant le mythe d'un Québec largement sous l'influence d'un réseau serré de sociétés secrètes, personne, avant lui, n'avait posé le regard rigoureux du chercheur universitaire sur ce phénomène fascinant. Après de longues et patientes recherches tant en France qu'au Québec, dans des archives par définition secrètes ou difficilement accessibles, il a publié en 1991 un ouvrage qui fera autorité pendant longtemps encore sur cette question: *Deux loges montréalaises du Grand Orient de France*, et plusieurs articles et communications dans lesquels il a depuis poursuivi sa plongée dans l'épaisseur du mystère maçonnique. Se méfiant de tout sensationnalisme facile, refusant d'exagérer l'importance d'un phénomène somme toute marginal, il a patiemment établi, retraçant, depuis leur création, l'évolution de certaines loges, les fils conducteurs d'une école de pensée et, du même coup, fait voler en éclats ce qui restait du mythe d'une société homogène, sous la coupe d'un clergé omnipotent, et isolée des grands mouvements de pensée contemporains américains et européens. Des premières loges en Nouvelle-France à celles qui se créent à Montréal à la fin du XIXᵉ siècle en passant par les loges britanniques des armées de la Conquête, Roger Le Moine dresse un tableau saisissant de la diversité comme des oppositions de ces structures théosophiques. Riche apport à la connaissance de l'un des aspects les moins bien connus et les plus intriguants de notre patrimoine intellectuel.

Mais ces grandes études savantes ont toujours été entrecoupées de biographies d'hommes ou de femmes de lettres, de monographies, de recueils de

textes ou de petites études qui sont autant de conversations sur notre passé littéraire. Relire ces textes, et
tout chercheur sérieux qui s'intéresse aux débuts de
notre littérature doit régulièrement y retourner, c'est
à chaque fois retomber sous le charme du conteur,
revivre ces conversations toujours passionnées
devant les casiers du secrétariat, dans l'escalier de la
faculté, dans le couloir du troisième ou dans son
bureau... Car il y a du Schéhérazade chez Roger et
Schéhérazade, c'est connu, a besoin d'auditeurs! J'ai
occupé le bureau en face du sien assez longtemps
pour savoir tout l'attrait ambigu du passage devant la
porte de son bureau et l'expérience de certains
malaises en entendant les salutations interpellantes
du maître des lieux, tiraillé que j'étais entre le plaisir
de l'entendre évoquer, comme s'il avait passé la
soirée en leur compagnie, mille anecdotes sur des
aspects de la vie quotidienne intime des Buies,
Chauveau ou Gaspé, de connaître la fin du récit
amorcé la veille sur les amours torrides de Laure
Conan et d'Alexis Tremblay et le remords de retarder,
une fois de plus, le moment d'affronter la pile des
copies à corriger qui attendent sur le bureau ou de se
remettre à cet article pour les *Archives* ou à cette
notice pour le *Dictionnaire* que l'on a promis pour la
veille... Je vous parle d'un temps que les étudiants
d'aujourd'hui et que nos jeunes collègues ne
connaissent pas; d'une époque où, dans ce département, il y avait une vie sociale; des années où les professeurs restaient après les heures pour causer
musique, théâtre, peinture, littérature, politique et
grammaire (en fait plus de politique que de
grammaire, n'en déplaise à Françoise Kaye!), et se
retrouvaient le lendemain, à la pause café ou à la
cafétéria, pour poursuivre ces conversations. Où

conférences, lectures d'œuvres et mini-colloques faisaient salle comble, une époque, je n'ai pas peur du côté quétaine de ma nostalgie, où des femmes et des hommes qui faisaient métier d'enseigner, de penser et d'écrire, avaient plaisir à partager leur réflexions, leurs découvertes, à confronter leurs points de vue. Période dont je n'ai d'ailleurs connu que le crépuscule, avant les grands projets subventionnés, les publications frénétiques et les couloirs déserts, quand les premiers moniteurs informatiques servaient le plus souvent de base à de jolis pots de fleurs. La littérature québécoise, les méthodes critiques étaient alors en pleine effervescence et nos lectures récentes formaient un bouillon de culture comme les amours des uns et des autres, les décisions impopulaires de tel directeur, les excentricités de certains de nos collègues faisaient partie de nos vies. Et dans cet univers, Roger s'épanouissait! Anecdotes piquantes, traits d'esprit dont il valait beaucoup mieux être les témoins que la victime, c'est le sel attique des villas de la Grande-Allée au XIXe, l'univers proustien des salons germanopratins du tournant du siècle qui parfois semblaient, grâce à lui, inspirer la vie de ce département.

N'allez pas croire que nous y travaillions moins ou moins bien; en tout cas, ce n'est pas ce que la carrière exemplaire du professeur Le Moine, parcours modèle de l'universitaire qui cherche et parfois trouve, enseigne et publie, semble démontrer. Je ne voudrais cependant pas vous raconter ce soir les belles histoires d'un paradis perdu et d'un pur esprit désincarné. Roger a toujours aimé se mêler de politique départementale; combien d'élections ne se sont-elles pas organisées derrière les portes pour une fois closes du 301? Membre quasi inamovible du Comité du personnel enseignant et d'autres importantes instances du pouvoir départemental, notamment du fameux comité des «patates frites», il était incontournable lorsque venait le moment de recruter de nouveaux collègues ou d'évaluer les demandes de permanence ou de promotion. S'il a eu ses coups de cœur et ses enthousiasmes, tous n'ont pas été dans ses faveurs et il savait faire respecter ses points de vue; lui qui a toujours fui toute position d'autorité a toujours néanmoins exercé beaucoup d'influence. Je ne lui connais pas de position mesquine, mais un souci constant d'améliorer la qualité de l'enseignement et de la recherche.

Les professeurs heureux n'ont pas d'histoires avec leurs étudiants; Roger Le Moine est né pour enseigner et des générations d'étudiants et de collègues vous diront qu'il fut un professeur apprécié et aimé. Enseignant chaque trimestre à tous les niveaux, il savait que les jeunes étudiants du baccalauréat avaient, eux aussi, besoin des meilleurs maîtres. Il a toujours compris que nous étions d'abord ici pour enseigner. À une époque où, encouragés souvent en cela par l'administration et les organismes subventionnaires, certains professeurs ne cessent d'additionner les dégrèvements, le professeur Le Moine fait quelque peu figure de dinosaure. Celles et ceux qui se joindront à l'Université d'Ottawa en septembre prochain ne connaîtront pas le plaisir de passer trois heures chaque semaine en compagnie d'un si fin causeur; ils se consoleront peut-être un peu à la pensée qu'ils échapperont au regard d'aigle d'un correcteur rigoureux et consciencieux.

Je ne ferai qu'une brève allusion à la famille de Roger; j'ai trop d'amitié pour Louise Cantin pour faire preuve du moindre début d'objectivité à son propos. Qu'il me soit cependant permis de dire, en notre nom à tous, j'en suis certain, l'estime dans laquelle nous tenons cette «Isle fortunée». Je ne puis non plus passer sous silence le fait qu'elle est co-auteur de l'une des productions les plus inattendues et les plus réussies du *curriculum vitae* de Roger. En janvier 1985, à un âge où la plupart ont définitivement renoncé aux plaisirs des biberons nocturnes, et peut-être pour nous rappeler qu'il était aussi un spécialiste de la Renaissance, Roger devenait le jeune père enthousiaste d'un rejeton très prometteur. Depuis ce jour, qui l'eût cru?, suivant en quelque sorte les traces d'Eugène Roberto, il s'est converti au culte quotidien de Claudel!

Je veux terminer ce modeste commentaire sur la vie universitaire de Roger Le Moine en émettant deux souhaits. Que libéré de certaines obligations, il poursuive ses travaux savants et ne cesse de nous enrichir des fruits de ses découvertes. Que, sans attendre la publication de ses œuvres, il continue de nous en faire le récit. Grâce à ce merveilleux ambassadeur du passé, nous pourrons ainsi, pour quelques instants, échapper aux contraintes parfois lourdes du présent et nous donner l'illusion de côtoyer celles et ceux qui ont fait naître cette culture québécoise, fondatrice de notre identité collective.

Le voyage à l'estime

Roger Le Moine
de la Société royale du Canada

Au terme de cette journée mémorable durant laquelle collègues et amis m'ont rendu hommage en organisant un colloque auquel plusieurs d'entre eux ont participé, j'aimerais me reporter au temps de mes premiers rapports à la littérature, de ma formation et aussi de ma carrière d'enseignant et de chercheur. L'âge m'autorise à entreprendre cette démarche puisque j'entre dans cette période de la vie où la distanciation permet d'effectuer un retour sur moi-même qui soit assez serein.

Remontant dans mes souvenirs jusqu'à ce qu'il me semble avoir été mes premières lectures, c'est-à-dire jusqu'à ce moment où l'enfant réussit à lire suffisamment vite pour que les syllabes forment des mots, que les mots se rattachent les uns aux autres de façon à constituer des phrases et un sens, je me souviens que, passé l'étape des beaux livres de contes illustrés d'avant-guerre, j'ai recouru à la bibliothèque familiale. Sauf que, comme toutes les bibliothèques du genre, elle était si disparate par son contenu qu'elle ne pouvait guère me satisfaire trop longtemps. Mes parents en ayant eux-mêmes convenu, ils m'ont engagé à passer commande chez des libraires de Québec ou de Montréal. C'est ainsi que, pendant quelques années, je me suis plongé dans la lecture des récits des alpinistes de l'Himalaya et des Andes, et dans ceux des explorateurs et des voyageurs ès terres exotiques. Dois-je l'avouer, les danses des vahinés de Bora-Bora, la mort du jeune Baya, les efforts de ceux qui ont remonté le fleuve Tchad ou encore ont gravi les pentes de l'Everest et de l'Annapūrnā ont tout autant satisfait les appétits de mon imagination que les péripéties d'un Michel Strogoff ou d'un Robinson Crusoé.

À l'adolescence, je devais être bien davantage marqué par une autre bibliothèque familiale, soit celle de l'oncle Félix-Antoine Savard, et surtout par certains textes qui semblaient occuper dans sa vie une place privilégiée. L'oncle Savard était un personnage considérable. Il avait publié des œuvres qui lui avaient valu une notoriété certaine. Venaient le consulter écrivains, professeurs et étudiants avec qui il discutait de questions le concernant, d'inspiration et d'écriture. Mais, lorsqu'il était seul, en un cérémonial quasi liturgique, il allait de sa table de travail à deux bibliothèques à portes vitrées dans lesquelles il avait rangé, comme pour les mieux protéger, des volumes dont il ne semblait pas se lasser et qui le faisaient entrer dans des états d'enchantement. Je résolus de profiter moi aussi de son expérience de jubilation. Ces ouvrages, il m'a autorisé à les lire quoiqu'il n'ait pas saisi les raisons de mon intérêt ni vu le profit que je pourrais tirer, à mon âge, de la lecture de Valéry comme aussi de celle de Claudel, de Supervielle, de Saint-John Perse et de Rilke. Pour m'en détourner, il m'a vanté tout à fait vainement les mérites de Kipling qu'il percevait comme un grand peintre de la nature. Certes, j'ai lu Kipling et j'ai suivi Kim et Mowgli dans la jungle de la ville et de la forêt mais sans que ma détermination ne fléchisse.

Qu'ai-je retenu de cette fantaisie d'adolescent qui a été la mienne et qui avait pour but l'appropriation de ces trésors qui en comblaient un autre? Comme le sens de ces textes m'échappait en dépit de la lecture, dans le cas de Valéry du moins, des savantes exégèses d'Alain, de Brémond, de Noulet et de quelques autres, les mots ne servaient qu'à créer des rythmes et des mélodies, c'est-à-dire l'incantation. Celle-ci me faisait participer d'un ordre supérieur dont les règles m'échappaient; elle me faisait oublier les contingences du réel et elle provoquait mon ravissement. Bref, elle me rendait heureux. Ces auteurs d'alors, je n'ai jamais consenti à les enseigner. Je craignais qu'une recherche du sens ne les détruise et n'altère des impressions que je tiens encore à conserver intactes.

Mais je devais sortir de mon adolescence. Et, sans rejeter quoi que ce soit de ce qu'elle avait été, je me suis mis à chercher autre chose dans la littérature. Ou plutôt, je suis passé à la littérature. Le «mot contient tout», a dit Giraudoux. Il est le «charme», pour emprunter au vocabulaire de Valéry. Mais il traduit aussi un sens. D'ailleurs, la lecture des œuvres contenues dans les deux bibliothèques à portes vitrées ne m'avait pas détourné d'Albert Camus et de tous ceux qui traduisaient les grandes angoisses de ma génération. Et tout en m'adonnant à ces lectures, disons personnelles, je poursuivais mes études.

Après avoir obtenu mon baccalauréat à l'Université d'Ottawa, je me suis inscrit à la Faculté de droit puis à la Faculté des lettres de l'Université Laval.

Comme le système de la licence ès lettres obligeait les candidats à compléter quatre certificats, je choisis bien sûr celui de littérature française. Je souhaitais que l'on m'y expliquât les mécanismes menant à l'incantation. J'espérais aussi être initié aux approches nouvelles qui connaissaient la faveur des Européens. Je complétai ma scolarité par des certificats en études classiques, en ethnographie et en histoire.

Je devais être déçu par l'enseignement dispensé au département des lettres françaises. Sans vouloir être désobligeant, je me permettrai de faire remarquer que les œuvres y étaient livrées aux fantaisies d'un chacun. À moins qu'elles ne soient soumises à un dirigisme à forte saveur cléricale.

Ma licence terminée, j'ai décidé de poursuivre mes études, c'est-à-dire de rédiger un mémoire de diplôme d'études supérieures et une thèse de doctorat ès lettres, mais tout en enseignant. J'ai posé ma candidature à deux universités dont celle d'Ottawa. J'ai été agréé aux deux endroits et j'ai choisi l'Université d'Ottawa à cause de la proximité de bonnes bibliothèques comme celles des Archives nationales et du Parlement — la Bibliothèque nationale n'existait pas encore. Mais mon choix a également été déterminé par un autre motif que je jugeais fort important.

J'avais terminé mes études de baccalauréat à l'Université d'Ottawa et j'avais été frappé par cette grande ouverture d'esprit dont les Oblats faisaient preuve, du moins en certains départements comme le Département de français ainsi qu'on le nommait à l'époque. Alors que, dans les collèges classiques traditionnels, on s'entêtait à maintenir des règles désuètes et à formuler des thèses dépassées comme si, un jour, l'univers entier devait faire marche arrière et convenir de leur bien-fondé, à l'Université d'Ottawa, tout au contraire, on tentait de s'adapter aux réalités nouvelles issues de la guerre. Au Département de français, tout particulièrement, on s'ouvrait au monde et à toute la littérature. Les impératifs moraux jouaient assez peu dans l'appréhension des auteurs et des œuvres. J'aimerais illustrer mon propos par un texte du premier directeur du département, le père Bernard Julien, o.m.i., et, ce faisant, je lui rendrai hommage.

À la fin des années 1950, des parents s'étaient plaints à l'archevêque d'Ottawa et chancelier de l'Université, monseigneur Marie-Joseph Lemieux, o.p., qu'André Gide était enseigné au Département de français. L'archevêque s'était ému; il avait demandé des explications au recteur et le recteur, au directeur du département, le père Julien, qui s'était vu contraint de rédiger un rapport[1] dans lequel il a abordé la question de la censure et en a signalé les aspects négatifs. Le père Julien écrit entre autres :

> Ceux qui se spécialisent dans une branche quelconque des connaissances humaines n'ont pas le droit d'en omettre des parties importantes, même si cette étude peut devenir cause de certains inconvénients et dangers. L'étude de Voltaire, de Rousseau, de Balzac, de Flaubert, de Gide et de Sartre est d'une importance littéraire et historique comparable à celle de Bossuet, de Racine, de Chateaubriand, de Péguy et de Claudel.

---

1. Ce document, intitulé «Le département de français et le souci de la morale», est conservé aux Archives de l'Archevêché d'Ottawa. Il m'a été aimablement communiqué par Jean-Yves Thibeau, un étudiant au Département d'histoire, que je tiens à remercier.

> La culture d'un maître et d'un docteur sera sérieuse et de première main, sinon elle ne vaudra rien [...][2].

Et, à propos de ces professeurs bien intentionnés qui censurent leurs propres lectures, il ajoute qu'ils seront l'objet du «mépris de leurs étudiants ou des gens qui les fréquenteront». C'est donc pour ces raisons qui tiennent à la connaissance et à l'ouverture d'esprit du père Julien que je me suis retrouvé ici.

Davantage formé par mes lectures que par les cours suivis, je commençai d'enseigner à des étudiants du baccalauréat à raison de 13 heures par semaine. Le père Julien faisait en sorte que ses professeurs, en l'espace de quatre années, couvrent toutes les périodes de la littérature française de manière à ce qu'ils refassent leurs humanités. C'est pourquoi j'ai dû lire passablement, même les auteurs que je connaissais, car j'ai toujours été incapable de préparer mes cours à partir de souvenirs. Et je devais consacrer combien d'heures à la correction! Les classes comptaient en moyenne 75 étudiants. Je tentais de présenter les écrivains non comme des hurluberlus, mais comme des êtres humains aux prises, très souvent, avec des problèmes de divers ordres. Puis, je passais à leurs œuvres; je les étudiais en établissant tout ce réseau de correspondances qui les relient à l'auteur, à l'époque, à la littérature et aux arts. Ce faisant, j'utilisais le vocabulaire le plus courant et je me gardais bien d'appliquer telle ou telle approche dite savante qui aurait à jamais détourné les étudiants de ce vers quoi je voulais les attirer. Je n'oubliais pas que mon enseignement s'adressait à des étudiants sans formation à qui je voulais faire

---

2. *Ibid.*

192

goûter aux plaisirs de la lecture. Il me semble que les moyens que j'utilisais le permettaient, même s'ils n'offraient rien d'original. Au moment où j'ai commencé d'enseigner à Ottawa, aucun cours n'était consacré, à la maîtrise et au doctorat, à des écrivains québécois du XIXᵉ siècle. Cela est venu un peu plus tard. Je crois avoir donné le premier; il portait sur *Angéline de Montbrun*. Mais ma formation universitaire m'avait surtout préparé à la recherche.

En dépit des déficiences que j'ai signalées, le passage par la Faculté des lettres de l'Université Laval devait me marquer profondément, voire déterminer l'orientation de ma carrière. Car certains de mes professeurs, je songe tout particulièrement à ceux qui enseignaient l'histoire, avaient rompu avec leurs prédécesseurs immédiats pour œuvrer à la façon des anciens positivistes dont s'étaient déjà inspirés les archivistes et les historiens qui sont à l'origine de la Société des Dix. Ils m'ont inculqué leur méthode. Rien qui ne se fonde sur une documentation établie et objectivement analysée. Comme l'a noté Flaubert, le chercheur doit s'abstraire de «la loi de son moi». Ce positivisme devait m'amener à la méthode de Gustave Lanson comme aussi à la psycho- et à la sociocritique sur lesquelles elle s'ouvrait. Cette méthode, qu'il ne me semble pas nécessaire de définir ici, convenait tout à fait au type de recherches que je me proposais d'entreprendre. Comme elle s'applique avant toutes les autres, elle s'est imposée à celui qui s'orientait vers une production littéraire, celle de la seconde moitié du XIXᵉ siècle québécois, qui n'avait fait l'objet que de rares travaux sérieux. Selon moi, l'approche et les œuvres s'accordaient merveilleusement. Je serais fort injuste si je n'ajoutais que j'avais été orienté vers cette période par les cours de Luc Lacourcière, notamment sur Philippe Aubert de Gaspé, et surtout par la lecture du mémoire d'études supérieures de Réjean Robidoux qui a été publié sous le titre de «Les *Soirées canadiennes* et le *Foyer canadien* dans le mouvement littéraire québécois de 1860[3]». C'est ainsi que je suis devenu lansonien[4].

L'enseignement de certains professeurs d'histoire m'avait cependant fait croire que l'histoire et l'histoire littéraire qui en était issue, permettaient d'en arriver à des conclusions définitives comme dans le cas des sciences exactes. J'ai été obnubilé par leur belle assurance, par le caractère péremptoire de leur enseignement. Non sans raison, ils voulaient se libérer de cette sorte d'impressionnisme qui avait prévalu dans leur discipline. Pour donner une œuvre qui soit définitive, il suffisait, selon eux, de taire ses opinions, de ne point succomber à la tentation de l'interprétation. Mais ils auraient dû savoir qu'en sélectionnant les faits, en les classant à partir de leurs fiches, ils réaménageaient le passé à leur guise et, par conséquent, le trahissaient. Pourtant, j'avais été mis en garde. Lanson avait lui-même écrit de l'histoire qu'elle était «une petite science conjecturale». Valéry avait noté dans son «Discours de l'histoire» que le passé comme le présent se prêtent à une infinité d'interprétations puisqu'il est impossible de séparer

3. Réjean Robidoux, «Les *Soirées canadiennes* et le *Foyer canadien* dans le mouvement littéraire québécois de 1860», *Fonder une littérature nationale*, Ottawa, Éditions David, 1994, p. 11-133.

4. Mon étude sur le roman historique, par l'importance qu'elle accorde à la recherche des sources, illustre mes orientations d'alors.

l'observateur de la chose observée et l'histoire de l'historien. Et Marguerite Yourcenar, dont les *Mémoires d'Hadrien* venaient de paraître, avait fait remarquer que les historiens réarrangent une docile matière morte outre qu'ils proposent du passé des systèmes trop complets, des séries de causes et d'effets trop exactes et trop claires pour n'avoir jamais été entièrement vraies. Je connaissais les textes dont ces réflexions sont tirées. Mais l'enthousiasme que j'éprouvais à découvrir le passé me détournait de m'en souvenir. Je les avais refoulés au plus profond de ma mémoire.

Ces choses étant, je me garderai bien de condamner mes professeurs d'histoire. Je continue de les admirer. D'un point de vue scientifique, et en dépit de la relativité de toutes choses, leur démarche marque un immense progrès par rapport à ce qui s'était fait. Leur œuvre constitue un moment important de l'évolution de la science historique au Québec. Comme bien peu de chercheurs avant eux, ils avaient mené des recherches minutieuses, ils avaient multiplié les «dénombrements», pour emprunter un terme au *Discours de la méthode*, et ils avaient sans doute passablement apporté à ce qui constitue, selon Valéry, la partie incontestable du passé, c'est-à-dire à ce dont tous conviennent. Par contre, en prétendant le fixer dans une attitude définitive, ils interdisaient pratiquement à leurs successeurs de reprendre ce qu'ils avaient fait. Ils les privaient d'une des grandes joies de l'esprit qui consiste à s'interroger sans cesse et à toujours remettre en cause. Car telle est la dynamique propre à la recherche. Pastichant un vers du «Cimetière marin», je me permettrai d'affirmer: «L'histoire, l'histoire toujours recommencée». C'est ainsi que, muni de ces instruments de bord que mes professeurs d'histoire m'avaient fournis, j'ai entrepris un voyage à l'estime, sur une mer de mots à peine balisée par quelques ouvrages. Et sans que les amers, trop éloignés, ne puissent orienter ma course, au début du moins.

Au fur et à mesure que progressait ma recherche, mû par cette «ardeur et allégresse de l'esprit» que mes professeurs m'avaient communiquées et qui ne constituaient pas leur apport le moins important, je me rendais compte que la méthode des positivistes et celle de Lanson, nonobstant leurs carences, convenait non seulement aux textes du XIXe siècle, mais aussi à ma tournure d'esprit. Comme elle s'ouvrait sur l'érudition qui, comme la culture, génère une explication du passé qui n'est sans doute pas la moins intéressante, elle me permettait d'acquérir une certaine assurance en une époque de totales remises en cause. Les connaissances que j'en tirais me permettaient de multiplier les joies de l'existence en annexant pour ainsi dire le passé au présent. Bien des années plus tard, au moment de la rédaction d'*Un Québécois bien tranquille*, j'ai compris que je rejoignais James McPherson Le Moine qui n'avait pas poursuivi son labeur à d'autres fins que celles de la connaissance et du plaisir qu'elle procure. Je plains ceux qui acceptent de soumettre leurs inclinations naturelles aux diktats du dernier système à la mode.

Au risque de revenir en arrière, de rompre le fil de mon propos, j'aimerais ajouter que j'ai été attiré par la recherche et par la satisfaction qu'elle apporte, bien des années avant la découverte du positivisme et du lansonisme, c'est-à-dire à l'époque de mes études classiques lorsqu'un jour, consultant mon dictionnaire français-grec, je m'étais rendu compte que le beau titre d'*Anabase*, avait été formé par Xénophon à partir de l'aoriste αναβαση du verbe ανα–βαινω. Cette découverte, aussi insignifiante qu'elle ait été, m'avait rempli d'aise et je m'en souviens encore après un demi-siècle. L'acte de la connaissance constitue une forme de plaisir. Et il permet de porter un regard un peu élevé sur les êtres et les choses.

J'ai parfois regretté de n'avoir pas préféré aux écrivains québécois, des écrivains français. Chateaubriand m'a toujours habité. Mais, je trouvais qu'il était plus facile de s'attacher aux premiers à cause des liens que tissent de communes appartenances à un même contexte. Chateaubriand a justement écrit: «Le style [et on pourrait remplacer le mot par l'expression «œuvre littéraire»] n'est pas comme la pensée cosmopolite; il a une terre natale, un ciel, un soleil à lui».

Ces choses étant, j'ai entrepris mes recherches dans un état de grande ferveur en lisant la plupart des relations de voyage et mémoires du régime français. Sauf que, pour mon mémoire de diplôme d'études supérieures et ma thèse de doctorat, je n'ai pu m'exercer sur les sujets qui m'intéressaient à ce moment-là parce qu'ils avaient été retenus par d'autres. Cela ne m'a pas empêché, au cours des années, de publier sur des écrivains et sur des personnages reliés à l'histoire et à la littérature, sur des genres littéraires et sur des œuvres. De même, sur des groupes sociaux et des sociétés. J'ai rédigé des historiques, des préfaces, une étude d'un caractère plus personnel, qui porte sur ce que j'ai appelé mon «plus-que-passé». J'ai fait l'éloge de collègues qui se sont trouvés dans la situation où je me trouve ce soir. J'ai reconstitué le catalogue d'une bibliothèque. J'ai édité des romans et des anthologies dont l'une est consacrée à la poésie exotique de la Renaissance... Je n'ai jamais nourri le projet de consacrer ma vie à un sujet, d'ériger un monument. Je me suis attaché à des questions qui m'ont préoccupé à un moment ou à un autre, comme par hasard. À l'occasion, j'ai cru qu'il m'appartenait de corriger certaines erreurs. Dans tous mes textes, je n'ai voulu ni démontrer ni me lancer dans des polémiques. Cela me laisse assez indifférent que mes personnages aient agi de telle ou telle façon, qu'ils aient été de droite ou de gauche, croyants ou incroyants, que tel texte exprime telle ou telle position. Car les idées m'intéressent assez peu. Bien que je les combatte quand je les juge excessives. Les systèmes m'ennuient. Je fais mienne cette affirmation de Camus: «Je ne crois pas assez à la raison pour croire à un système». C'est pourquoi, aussi, j'ai formulé des conclusions courtes.

Par-dessus tout, j'ai voulu être utile. Telle a été ma préoccupation la plus constante. C'est pourquoi j'ai réédité des textes et voulu, dans mes études, faire connaître, voire produire la documentation que j'avais utilisée de manière à ce que les lecteurs et surtout les enseignants puissent, non pas me suivre aveuglément, mais plutôt reprendre ma démarche. On ne peut préparer un cours à partir d'une synthèse ou d'un survol. À la façon des membres de la Société des Dix, j'ai voulu «illustrer», le mot étant pris en son premier sens étymologique.

Mais se fait-on jamais une idée exacte de sa carrière? Pas dans mon cas. Car, si j'aime effectuer des recherches, il me déplaît de rédiger. Je ne relis pratiquement jamais mes textes une fois qu'ils ont été publiés. Je crains trop d'y relever des incorrections. En sorte que l'évocation de ma production, telle que je viens de la faire, tient du *curriculum vitae*. Mais il se trouve que l'année dernière, mon collègue Robert Major, en m'invitant à prendre la parole dans son cours, m'a fait remarquer que j'avais surtout rédigé des textes biographiques. Je ne m'en étais pas rendu compte. Je me suis alors demandé pourquoi j'avais préféré ce genre à un autre. La biographie s'attache à un sujet défini, limité par la naissance et par la mort. Elle permet de raconter, ce qui me plaît, et non de disserter, ce qui me déplaît. Mais j'ajouterai qu'il est presque impossible d'établir quelque rapport éclairant entre mes biographies et moi-même puisque les écrivains de mes premiers textes m'ont été imposés par les circonstances, qu'il s'agisse de Marmette, de Bourassa ou de Laure Conan. Je n'ai pu effectuer un choix que dans le cas du «seigneur éclairé» et du «Québécois bien tranquille» qui, par leur existence, ont tous deux proposé une sorte d'équilibre entre la nature et la connaissance qui se fonde sur la liberté et le refus de se conformer au contexte. Ils m'ont rejoint comme je les ai rejoints.

Je m'en voudrais de ne pas ajouter que plusieurs autres historiens de la littérature, de l'Université d'Ottawa, de l'Université Laval, du Collège militaire de Kingston et de l'Université de Toronto ont également vu, vers le même temps, et même avant, qu'il était nécessaire de s'intéresser sérieusement aux auteurs de la période. Ils ont rédigé des biographies et des études. Malheureusement, ce mouvement de recherche ne s'est pas maintenu. En sorte que bien des écrivains sont encore très mal connus et nombre d'œuvres, inaccessibles. Je confiais l'autre jour au directeur des Éditions David que je rêvais d'une collection à prix populaire qui pourrait publier des textes rares et inédits. Mon propos n'est pas tombé dans l'oreille d'un sourd puisque l'éditeur a accepté de créer la collection. Elle s'appellera «Voix retrouvées». Je lui en suis très reconnaissant. Réjean Robidoux et moi-même en serons les directeurs.

J'ai passé 37 années de ma vie à l'Université d'Ottawa. Pendant tout ce temps, en vrai sédentaire, j'ai occupé un bureau au troisième étage de l'édifice Simard. À l'époque de mon arrivée, le département passait par une période de grande ferveur intellectuelle. Cela a duré jusqu'à ce que le Centre de recherches en littérature canadienne-française cesse d'en relever et soit relogé hors de l'édifice Simard. De même, les réceptions étaient nombreuses. Elles réunissaient des professeurs du département, des diplomates de l'Ambassade de France, des écrivains, des intellectuels du cru. Le département rayonnait. Mais ce temps est révolu et j'en ai gardé la nostalgie.

Même si, à l'occasion, j'ai été contrarié par certaines décisions et que je me suis senti lésé, j'ai vécu heureux au département. Les directrices et les directeurs ont presque toujours fait preuve d'une grande largeur de vue, d'une grande compréhension. Je leur en sais gré. Ils se sont généralement inspirés de l'attitude du père Julien. Je remercie également tous mes collègues, pour leur attitude à mon endroit, et cela, depuis le temps des débuts. Je me suis entendu avec la plupart même si, à l'occasion, j'ai engagé des débats avec certains d'entre eux. Cela me semblait tonique. Tous m'ont rendu la vie facile comme d'ailleurs le personnel du secrétariat.

Dans les années qui viennent, je n'entends pas modifier mon activité. On se maintient en vie dans la mesure où les projets animent la vieille carcasse. Mais je consacrerai plus de temps au jardinage. Je me livrerai, cet été, à des travaux d'irrigation et je poursuivrai la rédaction de mes mémoires. J'en ai pour longtemps puisque, après 232 pages, je n'ai pas encore atteint le moment de ma naissance! Ou plutôt, je n'ai pas encore osé me faire naître. Car on ne pose pas semblable geste sans savoir qu'il mène à un terme! Et je me propose de publier quelques inédits du XIXe siècle. La retraite n'affectera pas mon rythme et il ne faudrait pas qu'il en soit autrement. Sauf qu'elle me privera de ces contacts avec les étudiants qui sont si stimulants.

J'aimerais manifester ma gratitude à ceux qui sont à l'origine du colloque d'aujourd'hui, colloque qui met un terme si éblouissant à ma carrière. Je songe tout d'abord à Michel Gaulin, professeur à l'Université Carleton, qui a eu l'idée de cette fête. Je songe également à Pierre-Louis Vaillancourt qui a été chargé d'œuvrer avec Michel Gaulin à son organisation. Par leur générosité, qui s'est traduite par les très nombreuses démarches qu'ils ont dû effectuer, ils se sont tous deux acquittés brillamment d'une tâche à la fois lourde et périlleuse. Je tiens à souligner la générosité de David Staines, doyen de la Faculté des arts, de Robert Major, doyen associé à la recherche, de Marie-Laure Girou Swiderski, directrice intérimaire du Département des lettres françaises, de

Robert Choquette, directeur du Centre de recherche en civilisation canadienne-française, qui ont accueilli le projet favorablement et ont consenti les sommes nécessaires à sa réalisation en des temps de grande austérité financière. Je songe également à Patrick Imbert, président du comité dont dépend la vie sociale du département. Lui aussi a donné son accord et prêté son concours. Je ne saurais oublier non plus tout le personnel du secrétariat qui a dû assumer des tâches supplémentaires.

Je m'en voudrais de ne pas exprimer ma reconnaissance à Marie-Laure Girou Swiderski qui, par son mot de bienvenue, si chaleureux, a donné le ton au colloque; à Daniel Poliquin, mon ancien élève, dont le témoignage m'a touché infiniment; et à Sylvain Simard qui, avec autant d'esprit que d'amitié, a fait revivre bien des moments de ma carrière. Je remercie les présidents de séances, Dominique Lafon, John E. Hare, Rainier Grutman et Michel Gaulin, et je félicite les intervenants, Claude Galarneau, Bernard Andrès, Michel Gaulin, Nicole Bourbonnais, Réjean Robidoux, Robert Major, Yvan G. Lepage et Jean-Pierre Pichette qui tous ont présenté des communications d'une grande qualité. Tous ceux qui se sont déplacés, qui sont parfois venus de loin pour assister au colloque, collègues, parents, amis, étudiants et membres d'une association dans laquelle je m'implique, *Le regroupement des anciennes familles*, ont posé un geste qui ne m'a pas laissé indifférent. Je ne voudrais pas mettre un terme à mon intervention sans signaler que mon ancien élève, Yvon Malette, directeur des Éditions David, d'une façon aussi aimable que spontanée, a offert de fixer dans le temps, c'est-à-dire par une publication, les communications du colloque et autres interventions de la journée. Je tiens à ce qu'il sache à quel point, son geste m'a ému.

REPÈRES

ROGER LE MOINE

Membre de la Société royale du Canada
et de la
Société des Dix

Repères chronologiques et bibliographie

Repères

1933	Naissance à la Malbaie.
1957	Baccalauréat ès arts de l'Université d'Ottawa.
1962	Maîtrise ès arts et licence ès lettres de l'Université Laval.
1962	Chargé de cours au Département des lettres françaises de l'Université d'Ottawa.
1964	Diplôme d'études supérieures de l'Université Laval. Le mémoire, dirigé par Léopold Lamontagne, s'intitule *Joseph Marmette, sa vie, son œuvre*.
1965	Professeur adjoint.
1966	Professeur invité au Centre d'études supérieures de la Renaissance de l'Université de Tours.

1968	Prix Champlain du Conseil de la vie française en Amérique pour *Joseph Marmette, sa vie, son œuvre*.
1968	Professeur agrégé.
1970	Doctorat ès lettres. Dirigée par Léopold Lamontagne, la thèse s'intitule *Napoléon Bourassa, l'homme et l'artiste*.
1972	Professeur titulaire.
1976	Professeur invité à l'Université de Bordeaux III.
1988	Élection à la Société des Dix.
1993	Élection à la Société royale du Canada.

Bibliographie

a) Livres:

Joseph Marmette, sa vie, son œuvre, suivi de *À travers la vie. Roman de mœurs canadiennes* de Joseph Marmette, Québec, Les Presses de l'Université Laval (coll. «Vie des lettres canadiennes», n° 5), 1968, 251 p.

Napoléon Bourassa, l'homme et l'artiste, Ottawa, Éditions de l'Université d'Ottawa (coll. «Cahiers du Centre de recherche en civilisation canadienne-française», n° 8), 1974, 259 p.

Le catalogue de la bibliothèque de Louis-Joseph Papineau, Ottawa, Centre de recherche en civilisation canadienne-française (coll. «Documents de travail du Centre de recherche en civilisation canadienne-française», n° 21), 1982, 281 p.

Un Québécois bien tranquille, Québec, La Liberté, 1985, 187 p.

Deux loges montréalaises du Grand Orient de France, Ottawa, Les Presses de l'Université d'Ottawa (coll. «Cahiers du Centre de recherche en civilisation canadienne-française», n° 28), 1991, 189 p.

b) Éditions de textes:

Joseph Marmette, Textes choisis et présentés par (...), Montréal, Fides (coll. «Classiques canadiens», n° 9), 1969, 95 p.

L'Amérique et les poètes français de la Renaissance, Textes présentés et annotés par (...), Ottawa, Les Éditions de l'Université d'Ottawa, Centre de recherche en civilisation canadienne-française (coll. «Les Isles fortunées», n° 1), 1972, 350 p.

Napoléon Bourassa, Textes choisis et présentés par (...), Montréal, Fides (coll. «Classiques canadiens», n° 44), 1972, 87 p.

Laure Conan, *Œuvres romanesques*, Édition préparée et présentée par (...), Montréal, Fides (coll. du «Nénuphar»), 3 vol., 1974-1975.

Napoléon Bourassa, *Jacques et Marie. Souvenir d'un peuple dispersé*, Texte établi et présenté par (...), Montréal, Fides (coll. du «Nénuphar»), 1976.

Honoré Beaugrand, *Jeanne la fileuse. Épisode de l'émigration franco-canadienne aux États-Unis*, Édition préparée et présentée par (...), Montréal, Fides (coll. du «Nénuphar»), 1980.

La région de La Malbaie (1535-1760), Textes et documents présentés par (...), Centre de Recherches, Documentation et Archives sur la Culture de Charlevoix (coll. «L'accessible», n° 1), La Malbaie, Le Musée régional Laure-Conan, 1983, 212 p.

c) Articles de revues savantes:

«Le roman historique au Canada français», dans *Le roman canadien-français. Évolution - Témoignages - Bibliographie*, Montréal, Fides (coll. «Archives des lettres canadiennes», t. III), 1964, p. 69-87.

«L'abbé Casgrain et le tombeau de Champlain», *Revue de l'Université d'Ottawa*, vol. 35, n° 4 (octobre-décembre 1965), p. 399-419.

«Le "Club des Dix" à Ottawa», *Revue de l'Université Laval*, vol. 20, n° 8 (avril 1966), p. 703-709.

«Laure Conan et Pierre-Alexis Tremblay», *Revue de l'Université d'Ottawa*, vol. 37, n° 2 (avril-juin 1966), p. 258-271 et vol. 37, n° 3 (juillet-septembre 1966), p. 500-528.

«La première immigration française au Québec», dans *La découverte de l'Amérique*, Paris, Vrin, 1968, p. 127-156 (cours donné au Dixième stage international d'études humanistes, Université de Tours, 1966).

«La découverte de l'Amérique et la hausse de la monnaie de change selon Jean Bodin», *Revue de l'Université d'Ottawa*, vol. 40, n° 1 (janvier-mars 1970), p. 62-68.

«Une précision sur "La défaite des Sauvages Armouchiquois"», *Revue d'histoire de l'Amérique française*, vol. 24, n° 1 (juin 1970), p. 102-103.

«Un compagnon oublié de Roberval», *Revue de l'Université d'Ottawa*, vol. 41, n° 4 (octobre-décembre 1971), p. 556-562.

«Un seigneur "éclairé", Louis-Joseph Papineau», *Revue d'histoire de l'Amérique française*, vol. 25, n° 3 (décembre 1971), p. 309-336.

«Le manoir de Monte-Bello», *Asticou*, vol. 9 (septembre 1972), p. 2-12.

«L'École littéraire de Québec, un mythe de la critique», dans *Livres et auteurs québécois 1972*, Montréal, Éditions Jumonville, 1973, p. 397-413.

«Le roman historique québécois (1837-1925)», dans *Le roman canadien-français. Évolution - Témoignages - Bibliographie*, 3e édition, Montréal, Fides (coll. «Archives des lettres canadiennes», t. III), 1977, p. 69-88.

«La bibliothèque de Louis-Joseph Papineau», *Bulletin de la Bibliothèque nationale du Québec*, décembre 1977, p. 12-13.

«La mort de Wenceslaus Dupont, selon James McPherson Le Moine», *Bulletin du Centre de recherche en civilisation canadienne-française*, n° 16 (avril 1978), p. 5-11; dans *Aspects de la civilisation canadienne-française*, Ottawa, Éditions de l'Université d'Ottawa (coll. «Cahiers du Centre de recherche en civilisation canadienne-française», n° 22), 1983, p. 67-75.

«La littérature québécoise du XIXe siècle. Travaux accomplis», *Bulletin du Centre de recherche en civilisation canadienne-française*, n° 19 (décembre 1979), p. 30-32.

«Présentation de M. Séraphin Marion», *Bulletin du Centre de recherche en civilisation canadienne-française*, n° 21 (décembre 1980), p. 21-22; dans *Aspects de la civilisation canadienne-française*, Ottawa, Éditions de l'Université d'Ottawa (coll. «Cahiers du Centre de recherche en civilisation canadienne-française», n° 22), 1983, p. 167-168.

«Le catalogue de la bibliothèque de Louis-Joseph Papineau», dans *L'imprimé au Québec. Aspects historiques (18e - 20e siècle)*, sous la direction de Yvan Lamonde, Québec, Institut québécois de recherche sur la culture (coll. «Culture savante», n° 2), 1983, p. 167-188.

«Le roman au XIXe siècle», dans *Le Québécois et sa littérature*, sous la direction de René Dionne, Sherbrooke, Éditions Naaman/Agence de Coopération culturelle et technique, 1984, p. 76-84.

«Le "sang bleu" de Menaud», *Cultures du Canada français*, vol. 1 (1984), p. 11-32.

«Lucon fictif, Lucon réel», dans *Solitude rompue*, Textes réunis par Cécile Cloutier-Wojchiechowska et Réjean Robidoux en hommage à David M. Hayne, Ottawa, Éditions de l'Université d'Ottawa (coll. «Cahiers du Centre de recherche en civilisation canadienne-française», n° 23), 1986, p. 234-247.

«Daniel Poliquin: un recueil de nouvelles et deux romans», *Vie française*, vol. 40, n° 1 (décembre 1988), p. 77-82.

«La franc-maçonnerie sous le régime français. État de la question», *Les Cahiers des Dix*, n° 44 (1989), p. 115-134.

«En conjuguant mon plus-que-passé», *Mémoires de la Société généalogique canadienne-française*, vol. 41, n° 1 (printemps 1990), p. 5-28.

«Luc Lacourcière (1910-1989)», *Les Cahiers des Dix*, n° 45 (1990), p. 7-14.

«*Charles Guérin* et l'engagement politique de Chauveau», *Les Cahiers des Dix*, n° 45 (1990), p. 141-167.

«Papineau bibliophile», *Les Cahiers des Dix*, n° 46 (1991), p. 151-182.

«L'épopée abandonnée de Félix-Antoine Savard», dans *Mélanges de littérature canadienne-française et québécoise offerts à Réjean Robidoux*, Textes réunis par Yolande Grisé et Robert Major, Ottawa, Les Presses de l'Université d'Ottawa (coll. «Cahiers du Centre de recherche en civilisation canadienne-française», n° 29), 1992, p. 134-151.

«*Les anciens Canadiens* ou Quand se fondent l'oral et l'écrit», *Les Cahiers des Dix*, n° 47 (1992), p. 194-214.

«*Les anciens Canadiens* ou Quand se fondent l'oral et l'écrit», dans *L'œuvre de Germain Lemieux, s.j. Bilan de l'ethnologie en Ontario français. Actes du colloque tenu à l'Université de Sudbury les 31 octobre, 1er et 2 novembre 1991,* sous la direction de Jean-Pierre Pichette, Sudbury, Prise de parole et Centre franco-ontarien de folklore, «Ancrages», 1993, p. 163-174.

«Francs-maçons du régime français et de la "Province of Quebec"», dans *Principes du littéraire au Québec (1760-1815)*, Montréal, Université du Québec à Montréal (coll. «Cahiers de l'Archéologie du littéraire au Québec», n° 2), 1993, p. 17-33.

«Francs-maçons francophones du temps de la "Province of Quebec" (1763-1791)», *Les Cahiers des Dix*, n° 48 (1993), p. 87-117.

«*Les anciens Canadiens* ou l'envers de *Charles Guérin*», *Les Cahiers des Dix*, n° 49 (1994), p. 139-158.

«Premiers rapports à la littérature», *L'Info-Lettres*, vol. 7, n° 1 (hiver 1995), p. 8-11; *Présentations à la Société royale du Canada*, vol. 48 (1995), p. 5-11 (discours de réception à la Société royale du Canada, le 14 octobre 1994).

«Le Grand Orient de France dans le contexte québécois (1896-1923)», dans *Combats libéraux au tournant du XXᵉ siècle*, sous la direction de Yvan Lamonde, Montréal, Fides, 1995, p. 145-157.

«L'aventure mexicaine de quelques Québécois (1864-1867)», dans *Les discours du Nouveau Monde au XIXᵉ siècle au Canada français et en Amérique latine/Los discursos del Nuevo Mundo en el siglo XIX en el Canadá francófono y en América latina*, sous la direction de Marie Couillard et Patrick Imbert, Brooklyn/Ottawa/Toronto, Legas, 1995, p. 253-262.

«Philomène Aubert de Gaspé (1837-1872). Ébauche d'une biographie», dans *Questions d'histoire littéraire. Mélanges offerts à Maurice Lemire*, sous la direction de Aurélien Boivin, Gilles Dorion et Kenneth Landry, Québec, Nuit blanche, 1996, p. 95-106.

«Le quatrième fauteuil (Édouard-Zotique Massicotte et Raymond Douville)», *Les Cahiers des Dix*, n° 51 (1996), p. 77-109.

«Les origines lointaines de la "Société des Dix"», *Les Cahiers des Dix*, n° 52 (1997-1998), p. 23-42.

«*L'Intendant Bigot* de Joseph Marmette. Le temps de l'intrigue et le temps de l'auteur», *Les Cahiers des Dix*, n° 53 (1998-1999), p. 62-76.

d) Articles de dictionnaires:

Dictionnaire biographique du Canada, t. XIV, *De 1911 à 1920*, Québec, Les Presses de l'Université Laval, 1998:

> «Le Moine, sir James MacPherson», p. 702-704;

> «Martigny (Le Moyne de Martigny), Adelstan de», p. 811-813.

Dictionnaire des œuvres littéraires du Québec, sous la direction de Maurice Lemire, t. I, *Des origines à 1900*, Montréal, Fides, 1978:

> «*À l'œuvre et à l'épreuve*, roman de Laure CONAN (pseudonyme de Félicité ANGERS)», p. 10-13;

> «*Angéline de Montbrun*, roman de Laure CONAN (pseudonyme de Félicité ANGERS)», p. 24-30;

«*À travers la vie*, roman autobiographique de Joseph MARMETTE», p. 41-42;

«*Charles et Éva*, roman de Joseph MARMETTE», p. 99-100;

«*Le Chevalier de Mornac*, roman de Joseph MARMETTE», p. 112-114;

«*La Fiancée du rebelle*, roman de Joseph MARMETTE», p. 256-259;

«*François de Bienville*, roman de Joseph MARMETTE», p. 283-286;

«*L'Intendant Bigot*, roman de Joseph MARMETTE», p. 392-396;

«*Jacques et Marie. Souvenirs d'un peuple dispersé*, roman de Napoléon BOURASSA», p. 402-406;

«*Les Macchabées de la Nouvelle-France*, essai de Joseph MARMETTE», p. 464-465;

«*Nos grand'mères*, discours de Napoléon BOURASSA», p. 524-525;

«*Récits et Souvenirs*, de Joseph MARMETTE», p. 630-631;

«*Le Tomahahk et l'Épée*, récits de Joseph MARMETTTE», p. 702-703;

«*Un amour vrai*, nouvelle de Laure CONAN (pseudonyme de Félicité ANGERS)», p. 712-714.

Dictionnaire des œuvres littéraires du Québec, sous la direction de Maurice Lemire, t. II, *1900-1939*, Montréal, Fides, 1980:

«*L'Obscure Souffrance*, roman de Laure CONAN (pseudonyme de Félicité ANGERS)», p. 788-789;

«*L'Oublié*, roman de Laure CONAN (pseudonyme de Félicité ANGERS)», p. 806-809;

«*La Sève immortelle*, roman de Laure CONAN (pseudonyme de Félicité ANGERS)», p. 1008-1013;

«*La Vaine Foi*, roman de Laure CONAN (pseudonyme de Félicité ANGERS)», p. 1137-1138.

e) Autres:

La Malbaie, esquisse historique, La Malbaie, Imprimerie de Charlevoix, 1972, 12 p.

Laure Conan. Aide-mémoire préparé par (...), La Malbaie, 1974, s.é., 8 p.

Préface à Robert Vigneault, *Claire Martin, son œuvre, les réactions de la critique*, Montréal, Cercle du livre de France, 1975, p. 7-11.

Entretiens avec Sylvain Simard sur la littérature québécoise du XIXe siècle, Montréal, Société Radio-Canada, Service des transcriptions et droits dérivés de la radio, 1987, 25 p. (Émission «Entretiens», Cahier n° 22).

Préface à la *Bibliographie de Charlevoix*, Québec, Institut québécois de recherche sur la culture, 1984, p. 20-26.

«Papineau à Monte-Bello, extraits de la conférence prononcée par (...), le 17 avril 1988», *Par-delà le rideau*, avril-juin 1988, p. 17-26.

«La mort du Lucon», *Lettres québécoises*, n° 53 (printemps 1989), p. 8.

«Merci Françoys», *Plein-jour*, 28 mars 1993.

Préface à Réjean Robidoux, *Fonder une littérature nationale*, Ottawa, David, 1994, p. ix-xi.

Invité à faire hommage d'un texte à Cécile Cloutier, *Hommage à Cécile Cloutier*, 1995, 1 p.

La fête du mai; l'histoire et le cérémonial, Musée régional de Vaudreuil-Soulanges, 22 mai 1994, 5 p.

«Hommage à John Hare», *L'Info-Lettres*, vol. 8, n° 2 (printemps 1996), p. 2-3.

Notices
sur les auteurs de communications

BERNARD ANDRÈS est professeur de lettres à l'Université du Québec à Montréal et chercheur à l'Institut interuniversitaire de recherches sur les populations (IREP). Il a été critique de théâtre à *Jeu*, à *Spirale*, au *Jour* et au *Devoir*. Ses travaux en littérature et en théâtre québécois ont paru dans diverses publications dont *Voix & images*, *Études littéraires*, et le *Dictionnaire des œuvres littéraires du Québec*. Auteur de théâtre et de fictions, il a aussi publié deux essais, l'un à Montréal, *Écrire le Québec : de la contrainte à la contrariété* (XYZ, 1990) et l'autre à Paris, *Profils du personnage chez Claude Simon* (Éditions de Minuit, 1992). Il prépare actuellement la biographie de Pierre de Sales Laterrière (1743-1815), libre penseur, médecin et mémorialiste. Depuis 1991, Bernard Andrès dirige à l'UQAM le projet de recherche «Archéologie du littéraire au Québec» (ALAQ).

NICOLE BOURBONNAIS est professeure au Département des lettres françaises de l'Université d'Ottawa. Elle prépare une édition critique d'*Angéline de Montbrun*. Ses recherches portent sur le roman français et québécois du XXe siècle. Elle a publié plusieurs articles dans des revues savantes et des ouvrages collectifs, notamment sur Gabrielle Roy, Réjean Ducharme, Colette, Marguerite Duras et Marguerite Yourcenar.

CLAUDE GALARNEAU est docteur de l'Université de Paris (histoire). Il a été professeur au Département d'histoire de l'Université Laval (1953-1990) et directeur d'études associé à l'École des Hautes Études en Sciences Sociales de Paris (1983, 1985, 1989). Ses recherches et ses publications portent sur l'histoire socioculturelle du Québec (relations France-Québec, livre et société, éducation). Lauréat de l'Académie des Sciences Morales et Politiques de Paris, membre de la Société des Dix, de la Société royale du Canada, chevalier de l'Ordre du Québec, Claude Galarneau est professeur émérite de l'Université Laval.

MICHEL GAULIN est professeur titulaire à la retraite du Département d'études françaises de l'Université Carleton, à laquelle il reste rattaché en qualité de professeur associé de recherche en études françaises et en études humaines. Collaborateur régulier à la revue *Lettres québécoises* depuis 1988, il est l'auteur d'un ouvrage intitulé *Le concept d'homme de lettres, en France, à l'époque de l'*Encyclopédie, paru à New York en 1991 (Garland). Il a donné chez Québec/ Amérique, en 1996, sous le titre de *Marrakech*, une traduction du roman de l'écrivain canadien-anglais Scott Symons, *Helmet of Flesh*. Michel Gaulin a en outre consacré plusieurs études à l'œuvre de Jean Éthier-Blais et s'est intéressé à des auteurs tels Lionel Groulx, Olivar Asselin, le Frère Marie-Victorin, de même qu'aux essayistes Fernand Ouellette et Fernand Dorais. Il a été élu membre de la Société Charlevoix en 1988.

YVAN G. LEPAGE est un philologue qui œuvre aussi bien dans le domaine des études médiévales que de la littérature québécoise du XXe siècle. Ses éditions critiques d'œuvres majeures du Moyen Âge (*Couronnement de Louis*, Richard de Fournival, Blondel de Nesle) servent d'éditions de référence. Son expertise en matière d'édition de texte s'étend aussi aux œuvres québéboises ; il a en effet publié des éditions critiques des *Mémoires* de Marie-Rose Girard, du *Survenant* et de *Marie-Didace* de Germaine Guèvremont, romancière à laquelle il vient de consacrer une étude d'ensemble, intitulée *Germaine Guèvremont : la tentation autobiographique*. Professeur titulaire au Département des lettres françaises de l'Université d'Ottawa et secrétaire de la Faculté des arts, Yvan G. Lepage est également membre du Comité de direction du «Corpus d'éditions critiques». Il a été élu à la Société royale du Canada (Académie des lettres et des sciences humaines) en 1997.

ROBERT MAJOR est professeur à l'Université d'Ottawa. Ancien directeur du Département des lettres françaises, il est maintenant doyen associé à la recherche de la Faculté des arts. Responsable de la chronique «Essais» à la revue *Voix & images* depuis 1988, il est l'auteur de nombreuses études sur la littérature québécoise des XIXe et XXe siècles, dont notamment *Parti pris : idéologies et littérature* (Hurtubise/HMH) et *Jean Rivard ou l'art de réussir* (P.U.L.).

JEAN-PIERRE PICHETTE est professeur de littérature orale au Département de folklore et d'ethnologie de l'Université de Sudbury, après avoir fait ses études à l'Université Laval, sous la direction éclairée de Luc Lacourcière. Ethnologue de terrain, il a mené de nombreuses enquêtes folkloriques au Québec et en Ontario, de même qu'en Acadie, dans l'Ouest canadien et aux États-Unis. Il a publié *Le guide raisonné des jurons. Langue, littérature, histoire et dictionnaire des jurons* (Les Quinze, 1980) ; *L'observance des conseils du maître. Monographie internationale du conte type A.T. 910B* (PUL, 1991 ; Médaille Luc-Lacourcière 1991) ; et *Le répertoire ethnologique de l'Ontario français* (PUO, 1992). Il a également assumé la direction de plusieurs ouvrages collectifs. Il est l'un des membres fondateurs de la Société Charlevoix, dont il dirige la publication des *Cahiers*.

RÉJEAN ROBIDOUX est né à Sorel (Québec) en 1928. Il a été assez tôt reconnu comme un spécialiste de la littérature québécoise. Les essais, entre autres, qu'il a réunis dans *Fonder une littérature nationale* (Éd. David, 1994) sont l'œuvre d'un pionnier de la recherche en histoire littéraire du XIXe siècle. Côté analytique, outre des études proprement d'auteurs (*La création de Gérard Bessette*, Québec/Amérique, 1987 ; *Connaissance de Nelligan*, Fides,1992), il a préparé plusieurs éditions critiques de textes : les *Poésies complètes 1896-1941* d'Émile Nelligan (Fides, 1991, en collaboration avec Paul Wyczynski) ainsi que, de Louis Dantin, *Émile Nelligan et son Œuvre* («Bibliothèque du Nouveau Monde», 1997) et *Franges d'autel* (Cahiers du Québec/Documents littéraires, 1997).

TABLE DES MATIÈRES

HOMMAGES / ALLOCUTIONS

REPÈRES

Achevé d'imprimer en septembre 1999
sur les Presses AGMV-Marquis
Cap-Saint-Ignace (Québec)